FIETSROUTE

DE GROENE WEG NAAR
DE MIDDELLANDSE ZEE

FIETSROUTE
DE GROENE WEG NAAR
DE MIDDELLANDSE ZEE

door Henk Eikelboom (route)
en Aart van Rossum (teksten)

voor de 2e druk bewerkt
door de Fietskaart Informatie Stichting (route)
en Aart van Rossum (teksten)

uitgeverij PIROLA   in samenwerking met
                                  Fietskaart Informatie Stichting

                       Schoorl, 1999

Niets van deze uitgave mag worden verveelvoudigd en/of open-
baar gemaakt zonder voorafgaande schriftelijke toestemming
van de uitgever:
Fietskaart Informatie Stichting, Postbus 13002, 3507 LA Utrecht

CIP GEGEVENS KONINKLIJKE BIBLIOTHEEK DEN HAAG
Fietsroute de groene weg naar de Middellandse Zee. Een fiets-
route van Nederland (Maastricht) via België, Luxemburg en
Oost-Frankrijk naar de Camargue (Stes.Maries-de-la-Mer) / door
Henk Eikelboom & Aart van Rossum
Utrecht: Fietskaart Informatie Stichting - Ill., krt.
Schoorl: Uitgeverij Pirola - Ill., krt.

ISBN 90 6455 3076 in spiraalband

Trefw. fietstochten; België / fietstochten; Luxemburg / fietstochten; Frankrijk

Inhoud

Voorwoord bij de tweede druk

De Groene Weg naar de Middellandse Zee is voor velen de vervulling geworden van een reeds lang gekoesterde droom: op de fiets van huis naar de Méditerranée! Deze gids voorziet daarbij duidelijk in een behoefte en raakt zelfs onderweg al enigszins bekend.

Omdat door de toegenomen gemotoriseerde drukte de route hier en daar wat minder 'groen' dreigde te worden hebben vrijwilligers van de Fietskaart Informatie Stichting de hele route opnieuw gefietst en bekeken. Daarbij hebben zij dankbaar gebruik gemaakt van de vele enthousiaste reacties en suggesties van de fietsers van de eerste druk: men kan zeggen dat de hele route grondig is herzien en bewerkt. Bovendien zijn er op verzoek een drietal extra alternatieven toegevoegd, waardoor de gebruiksmogelijkheden verder toe-genomen zijn. Zo is als start voor de Ardennen een minder heuvelachtig alternatief opgenomen. In Zuid-Frankrijk werd de route met een zijtak verlengd tot bij Narbonne. En tenslotte kunnen liefhebbers via een wat ruiger alternatief rond de Etang de Vaccarès door het natuurpark van de Camargue weer terugfietsen naar Arles

Dit betekent, dat fietsers die deze route de afgelopen jaren gereden hebben en met deze tweede druk op herhaling gaan, veel verrassend nieuws zullen ontmoeten.

Het bestuur van de Fietskaart Informatie Stichting wenst u mooi weer en veel genoegen bij het fietsen van deze Groene Route!

De routebeschrijving in dit boek is zorgvuldig samengesteld en gecontroleerd in 1998. Toch is het mogelijk dat een enkele fout in de beschrijving is blijven zitten. Ook kunnen verkeerssituaties, wegen en voorzieningen zijn veranderd na de laatste controle. Voor de gevolgen van eventuele onvolkomenheden kunnen de Fietskaart Informatie Stichting, noch haar medewerkers aansprakelijk gesteld worden.

Het kaartmateriaal van de route is afkomstig van de Michelinkaarten 1: 200.000 en hiervan de nrs.: 213, 214, 240, 242, 244 en 245, meest recente uitgave, welwillend ter beschikking gesteld door Michelin Benelux B.V. te Brussel. De kaartjes van de stad Luxemburg zijn afkomstig van MDI-SARL, Luxembourg.

De foto's zijn gemaakt door: Boudewijn van der Vlist, Clemens Sweerman, Hajo Kraamer, Joop van Opijnen, Aart van Rossum, Ben en Adri van Kan. Tekeningen: Joris van Rossum.

HOOFDSTUK 1
EEN GROENE FIETSROUTE

1.1. Karakter van de route

Deze gids bevat een routebeschrijving voor fietsers van Maastricht of Luxemburg-stad naar de Middellandse Zee. Dit laatste nader gepreciseerd: naar Stes.Maries-de-la-Mer of St.Pierre-sur-Mer bij Narbonne. Het gaat hier om een niet bewegwijzerde route met een lengte van 1000 tot 1500 kilometer afhankelijk van start- en eindpunt. Maar meer is het karakter van de weg van belang, want men wil weten wat hem/haar te wachten staat. Niets is ellendiger dan onderweg opgeven, omdat de realiteit niet aan de verwachtingen voldoet. Dit zou een verknoeide vakantie betekenen, een teleurstellende investering in materiaal en een mogelijke blamage voor degene die - trots uitgezwaaid door zijn omgeving - naar het zuiden vertrokken is. Daarbij komt dan nog het probleem van de terugreis. Daarom lichten we nu een tipje van de sluier op, zeker nuttig voor hen die voor het eerst zich aan zoiets wagen.

Deze route is gemaakt voor mensen die houden van rust en natuur, een groene fietsroute dus. De gekozen wegen zijn zoveel mogelijk autoluw. Weidse vergezichten en boeiende landschappen zijn kenmerkend, maar culturele beziens-waardigheden zijn mondjesmaat in een wat grotere plaats aanwezig. Daar is het moeilijk om het principe van stille wegen vast te houden: een paar kilometer drukte is onvermijdelijk. In deze plaatsen treft men ook noodzakelijke voorzieningen aan als een wasserette, een fietsenwinkel, hotels, supermarkten en bakkers. Naarmate men zuidelijker komt, worden de steden meer bezienswaardig: vooral Avignon, Arles, Nîmes en Narbonne zijn centra waar men zich dagen kan vermeien in cultuur, kunst en historie. Tussen deze drukke punten zijn overigens weer rustige wegen gekozen. Het zal verrassen, dat zelfs het zogenaamd drukke Rhônedal zoveel stil en gezellig platteland kent! Het noordoosten van Frankrijk is nogal ontvolkt en de boerendorpjes met hun lieflijke namen stellen weinig voor. Ze werken - zeker bij slecht weer - deprimerend: grauwe huizen met gesloten luiken, bouwvallige schuren en koeienmest op de straat. Vrijwel geen kinderen en alleen een paar oude mensen die mompelend reageren op ons 'Bonjour m 'sieu-dame!' en die je schichtig aankijken als je in een cafeetje een café-crème of een Tourtel (= alcoholvrij bier) in plaats van een 'petit blanc' bestelt. Na het passeren van de Saône wordt het land welvarender, de dorpen groter en schoner. Veel, heel veel bloemen fleuren de zaak op. Voorbij de Rhône begint de Provence met zijn eigen sfeer, moeilijk te beschrijven. Dit landschap kun je zo intens beleven, dat je zou moeten kunnen schilderen. Deze route eindigt in een heel uniek gebied: de Camargue en het - jammer genoeg steeds drukker wordende - badplaatsje Stes.Maries-de-la-Mer. In plaats hiervan kan men een uitbreiding/alternatief kiezen naar het verder gelegen Narbonne met een verplichte(?) stop in Nîmes.

1.2. Heuvels en vlakten

Voor wie nog nooit in het buitenland gefietst heeft komt als eerste dit verschil met Nederland naar voren: de weg is nergens vlak: je gaat of omhoog of omlaag. Het laagste punt van de route is 0 meter (Stes.Maries, St.Pierre), het hoogste 650 meter. De hellingen kosten zweet en men moet - in wielertermen - afzien. Bij de praktische raadgevingen komen we hier op terug.

Deze route gaat door de Ardennen, maar hier bevinden zich juist de moeilijkste hellingen. Men moet enkele riviertjes kruisen en deze zijn diep ingesneden in het landschap. De meeste stromen oost-west en dat betekent steile hellingen voor u die noord-zuid wil. Twee ervan gaan echter in uw richting: de Lienne en, in Luxemburg, de Alzette. Die buiten we dan ook uit. Omdat men meteen voorbij Maastricht er tegen aan moet, is ter keuze van de fietser een wat minder inspannend en vlakker alternatief over Tongeren toegevoegd.

Voorbij Luxemburg komt driehonderd kilometer golvend landschap. Dat betekent vrij korte hellingen en afdalingen, op zich niet moeilijk, maar door de herhaling afmattend. Na het oversteken van de Saône volgt vijfhonderd kilometer met lange hellingen, vooral het gedeelte door de Jura. Wel vermoeiend, maar erna volgt een lange afdaling langs de Ain met tijd genoeg om weer op adem te komen. Hierdoor is zo'n etappe minder vermoeiend dan tijdens het eerste stuk. Voorbij Valréas komen we definitief in het Rhônedal en vandaar af wordt het veel vlakker. Maar ook dan kan men niet zeggen, dat het klimmen erop zit. Het kan dan echter wel zijn, dat de (rond)rit door de platte Camargue de fietser doet verlangen naar een lekkere helling! Voor het langere alternatief richting Narbonne geldt echter, dat de hellingen nog wat langer aanhouden.

Kortom: De makers van deze route hebben het de fietser zo gemakkelijk mogelijk gemaakt, maar men mag niet denken, dat deze tocht voor iedereen een fluitje van een cent is. De vraag of deze route te doen is voor ouderen kan echter volmondig met ja beantwoord worden, als aan de volgende voorwaarden voldaan is: een goede conditie en goed materiaal. Aan deze twee punten zijn hoofdstuk 3 en 4 van deze inleiding gewijd. Kinderen meenemen? Dit lijkt niet aan te bevelen. Er is onderweg voor hen weinig te beleven en het ontbreken van fietspaden in en bij de steden maakt het onverantwoordelijk.

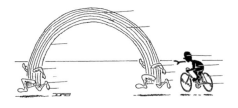

HOOFDSTUK 2

DE REGENBOOG ACHTERNA

2.1. Lucht, licht en water
Bij de langeafstandsfietser gaan zich al snel verslavings-ver-schijnselen voordoen. Iedere winter ziet hij uit naar het voorjaar en bij het eerste lentezonnetje komt de fiets te voorschijn en dan begint het: met een kort weekeinde naar een trekkershut en een lang naar de Ardennen. Eindelijk breekt dan de zomer aan en kan de grote tocht waar men een winter lang naar uitgezien heeft, beginnen. Nu eens Denemarken of Thailand of.... toch maar weer Frankrijk.

Wat is dat voor een drang? Het beeld van de regenboog dringt zich op: een fascinerend verschijnsel, een oeroud teken voor het volmaakte geluk: vurig verlangd en nagestreefd, maar on-grijpbaar. De regenboog, ijl mengsel van drie elementen: lucht, licht en water, vluchtige elementen tegenover de grauwe vaste aarde, maar des te boeiender.

Lucht, licht en water..... Zijn deze elementen het niet die de Provence tot zo'n aantrekkelijk reisdoel maken? Die op kunste-naars en zonaanbidders werken als een magneet. Die schilders als Van Gogh krankzinnig makende inspiratie schonken? Die, niet in geringe mate, fietsers doet vragen: schenk ons een weg, beschrijf ons een route naar de Middellandse Zee?

In tegenstelling tot andere routes blijkt, dat toehoorders zich verplaatsen naar het puntje van hun stoel als je zegt, dat je op de fiets de Middellandse Zee gehaald hebt. Het heeft iets spe-ciaals.

2.2. De regenboog, symbool en souvenir uit Stes.Maries
Stes.Maries is in het voorjaar ook reisdoel voor een oud volk, dat wij gemakshalve – en voor hen zelf misschien wat discrimine-rend - zigeuners noemen. Velen van hen trekken dan - welis-waar niet langs de hier beschreven route - naar hetzelfde eind-doel: Stes.Maries-de-la-Mer om hier op 24 en 25 mei hun feest te vieren. Voor hen is dit stadje een soort pelgrimsoord gewor-den, gebaseerd op een oude legende..

In de traditie van deze mensen is de regenboog symbool van hun trekken. Zij volgen immers een reisdoel, dat eeuwig voor hen uit blijft schuiven. Geen wonder dat de fietser in Stes.Maries-de-la-Mer gegrepen wordt door dit teken: de mens met de regenboog in zijn handen, het sym-bool van geluk. Je hebt immers het onbe-reikbaar gedachte gehaald, ofschoon je soms wanhopig halverwege een lange helling ver-zucht hebt: "Ik haal het nooit!"

Als je na de talloze Franse hellingen het land hebt voelen vlakker worden, steeds vlakker in het Rhônedal tot de eindeloze platheid van de Camargue. Als je vanuit het kille noorden komend het iedere dag wat lichter en warmer voelt worden, dan voel je je gelukkig, hier op het strand en genietend van de lucht, het licht en het water. Langzaam dringt het besef tot je door, dat het erop zit! Dan snel je naar de winkel van de edelsmid en koopt daar zo'n hanger van de man met de regenboog en voel je je één met de anderen die dezelfde weg gegaan zijn en nog zullen gaan. Je hangt - evenals de auteurs van deze gids - dit teken om, wetend dat je 'er' nu ook bij hoort.

Maar... Pas op: de regenboog blijft trekken. Voortaan zal ieder jaar een einddoel bereikt worden en de regenboog gepakt. Ieder jaar beleef je het intense moment het doel bereikt te hebben en dat vervult je met trots en geluk. Maar als je thuis bent, ontglipt dezelfde regenboog weer en komt een zucht naar boven. Je begint nieuwe plannen te maken voor de volgende zomer. Het souvenir van de man met de regenboog zal je daarbij inspireren.

2.3. Een oude Provençaalse legende
Op de plaats waar nu Stes.Maries-de-la-Mer ligt, dus aan het strand van de Camargue bij de monding van de Petit Rhône, landde ca. 40 na Chr. een bootje met daarin een aantal vluchtelingen uit Palestina. Het waren Maria-Jacobea, Maria van Salome, Lazarus, Martha, Maria Magdalena en de kleurlinge Sara, dienares van de beide Maria's. Eenmaal geland ging dit groepje uit elkaar en begon christelijk zendingswerk te bedrijven in de Provence, dat - zoals de naam al aangeeft - toen een provincie was van het Romeinse Rijk. De beide Maria's, dus Maria Jacobea en Maria van Salome, en hun dienares Sara bleven in de Camargue en zijn daar gestorven en begraven in de plaats die naar hen genoemd is.

Al snel genoten deze graven grote verering, in het bijzonder dat van Sara die - waarschijnlijk vanwege haar donkere huidskleur - patrones werd van de 'zigeuners'. De graven trokken echter ook belangstelling van piraten. De bewoners van de streek openden ze, brachten de stoffelijke resten in veiligheid en verborgen die elders onder de grond.

In 1448 liet koning René deze resten verzamelen en verpakken in een aantal vergulde schrijnen. Zo is in en rond de kerk van Stes.Maries-de-la-Mer een verering tot op de huidige dag levend gebleven, vooral de jaarlijkse bedevaart met processie op 24 en 25 mei. De attributen die hierbij op de schouders worden meegedragen, staan de rest van het jaar uitgesteld heel hoog in de kerk (de beide Maria's) en in de crypte (Sara). Bij de beschrijving van Stes.Maries-de-la-Mer komen we hier nog op terug.

HOOFDSTUK 3
CONDITIE EN VOEDING

*Hier zou toegevoegd kunnen worden een lang verhaal over ,
materiaal, kleding, soort fiets, fietstassen, bagagedragers, etc.
Wij zien hiervan maar af en wel om de volgende redenen:
Ieder advies van een auteur berust op persoonlijke ervaringen
waarmee anderen het vaak absoluut niet eens zijn.
Over genoemde zaken zijn boeken volgeschreven, die in alle
(speciaal)zaken en bibliotheken te krijgen zijn. Overigens geldt
hierbij ook wat in punt 1 genoemd is. Wij beperken ons op het
technische terrein dus tot een tweetal titels:*

Bart Aardema: - Handboek Fietsvakanties 1
ISBN 90-18-00429-4
Uitgever ANWB Prijs ca 30,-

Richard A. Lovett - The Essential Touring Cyclist
ISBN 0-07-038849-0
Prijs ca 36,-

3.1. Een goede conditie
Wie aan een fietstocht als deze begint moet een redelijke lichamelijke conditie hebben. Dat betekent van tevoren training, ook
van een paar dagen achtereen met bepakking natuurlijk. Daarna
naar Zuid-Limburg of de Ardennen in om het bergop en bergaf te trainen; bijvoorbeeld op de hellingen bij Epen, Spa, Limbourg
of het eerste gedeelte van deze route.
Het is niet de eerste helling die de mens knakt, maar bij de vier-
de of de vijfde gaat het ineens niet meer. Soms is dat pas de derde dag en dan zit men wanhopig in het buitenland met een paar
knieën die niet meer willen.
In een heel kalm tempo beginnen. Dat geldt zeker voor de eerste, maar ook voor alle volgende dagen. Hebt u wel eens bij de
start van een wielerwedstrijd gezien hoe traag de renners hun
eerste meters afleggen? Dit geldt in verhevigde mate als het meteen bergop gaat. Zo'n berghelling is totaal iets anders dan thuis
even tegen de brug op: dan zet je even flink de vaart erin en je
schiet er met weinig moeite overheen. Maar bij het echte klimmen is het van groot belang, dat je niet buiten adem raakt.
Hijgend en met stotende adem boven komen is een bewijs, dat
men zich forceert. Met klein verzet heel rustig omhoog en niet
buiten adem raken! Vooral ouderen doen er goed aan lang tevoren te beginnen met training, vooral duurtraining. Dit hoeft
niet alleen fietsen te betekenen: zwemmen en lopen hebben
hetzelfde effect.

3.2 Eten en drinken onderweg

Goed eten is van groot belang: met hongergevoel kan men niet fietsen: pap in de benen, verzuurde spieren. Het standaard Franse ontbijt is nogal karig: de baguette en de croissant bieden meer lucht dan brandstoffen. Daarom is het dubbel zo dure *pain complet*, bruin brood dus (tegenwoordig overal verkrijgbaar), een beter alternatief zeker met voedzaam beleg. Alleen zo kan men de eerste hellingen overmeesteren. In een hotel is het probleem bespreekbaar en een goede gastheer zal het broodmandje extra vullen en je zelfs van de kaasplank laten profiteren. Vaak brengt men dat niet eens in rekening. Dit geldt ook 's middags in een restaurant: eet rustig het broodmandje leeg: meestal wordt zonder vragen bijgevuld. Voor doe-het-zelvers zijn vooral gerechten met bonen of met pasta aan te bevelen. Een tip uit persoonlijke ervaring: nooit op weg gaan zonder een pak casse-croutes, een soort Liga's. Ze komen altijd van pas: bij de koffie, als tussendoortje en in noodgevallen als lunch, wanneer de bakker dicht is.

Zorg ook voor voldoende water. Bij warm weer verlies je veel vocht, dat moet worden aangevuld. Twee bidons per fiets is eigenlijk noodzakelijk. Vul onderweg bij in een café of bij een tankstation, maar niet bij drinkplaatsen langs de weg! Het landbouwgif kan diep in de grond zijn doorgedrongen! De Fransen zelf houden niet van de kraan en drinken alleen bronwater uit plastic flessen. Het leidingwater is echter van goede kwaliteit en smaakt best. Bovendien vormen de bronwaterflessen een ergerlijke bijdrage aan het afvalprobleem.

Komt al dat water je na een paar hete dagen de keel uit, knijp dan een citroen uit in je bidons en doe er wat druivensuiker bij. Ook thee is goed voor de afwisseling. Limonade en frisdrankjes zijn te zoet om echt dorstlessend te zijn. In een café is een ijskoud biertje, alcoholvrij, ook een goede dorstlesser.

Neem bij echt heet weer tussen de middag een lange pauze. Let wel, de grootste hitte ligt tussen 1 en 3 uur. De Fransen gaan desondanks om 12 uur eten, zodat het tussen 12 en 1 heerlijk rustig fietsen is. Siësta houden is heel goed mogelijk, aan een bosrand, een boomgaard of in de schaduw van de struikenrand is het heerlijk rusten en wachten tot het fietsen weer aangenaam wordt. Neem iets mee om op te zitten en te liggen, want het taaie gras prikt en jeukt anders verschrikkelijk! Een tip uit de ervaring: het voetbalveld: altijd een gebouwtje voor wat schaduw en meestal banken om op te zitten en een niet gesloten toilet voor de boodschappen. Bij grote hitte is vroeg vertrekken en rond 1 uur stoppen een goede raad. Pas ook op zonnesteek- en verbrandings-verschijnselen: petje op, hals bedekt en gebruik zonnebrand-olie.

HOOFDSTUK 4
PRAKTISCHE INFORMATIE

4.1. Etappe-indeling
Deze gids kent geen indeling in dagetappes. Bewust, want die geven vaak het gevoel van falen, als men het niet "gehaald" heeft. De ervaring is de beste leermeester. Een probleem misschien bij het van tevoren bespreken van de terugreis per fietsbus (Arles) of autoslaaptrein (Narbonne). Reken als ervaren fietser op twee weken voor Luxemburg - Arles en op vier voor Maastricht - Narbonne. Beginnelingen kunnen beter het zekere voor het onzekere nemen en op een weekje meer rekenen.
Deze route zou gereden kunnen worden alleen aan de hand van de kaartjes in deze gids. De beschrijving erbij is echter soms onmisbaar door de vermelding van de afstanden en de voorzieningen onderweg en wegens de wegnummers . Deze zijn ook nuttig om de fietser het ik-zit-op-de-goede-weg gevoel te geven.

Wilde paarden (Camargue)

4.2. Campings, winkels, hotels, etc.
Tijdens het uitzetten en het controleren van de route zijn voorzieningen in plaatsen langs de route genoteerd. Daarbij passen een aantal restricties.
Café / Restaurant: dit teken beduidt, dat er in de betreffende plaats (zie de restricties bij 'winkel') tenminste één café is. Hetzelfde teken wordt ook gebruikt voor een 'tabac' met bar en vaak een simpel restaurant. Het blijft dus een verrassing of men er alleen kan lunchen met een sandwich en koffie of dat men uit een heel menu kan kiezen. In ieder geval: iets fris drinken of een kop koffie mét kan altijd.

Winkel: Deze vermelding betekent, dat er in genoemde plaats langs de route tenminste één (bakkers)winkel is. Hierbij moet het volgende in acht genomen worden:
1. Als bij een dorp niets vermeld staat kan er - niet zichtbaar vanaf de weg die de route volgt - toch nog wel een winkeltje zijn. Vragen kan dus lonen.
2. Door het ontvolken en vergrijzen van het platteland worden vele winkels gesloten. Het gaat hier om de situatie aangetroffen in 1998!
3. Het platteland wordt steeds meer van levensmiddelen voorzien door een Franse variant van onze SRV-man, maar dan in een minder opvallende bestelauto, even vragen bij de plaatselijke bevolking hoe laat hij komt. Brood, melk en kaas heeft de man of vrouw altijd wel aan boord.

Rijwielreparatie: Een Franse automonteur beroemt zich erop allround 'mecanicien' te zijn en ook verstand van fietsen te hebben. Men kan dus bij een garage aankloppen voor hulp. Peugeotgarages hebben vaak ook wat fietsonderdelen in voorraad, de andere zelden. Waar bij een plaats het teken voor fietsreparatie staat, daar is werkelijk een echte rijwielhersteller die ook voorzien is van onderdelen. Bij echte pech deze methode volgen: noodhulp bij een plaatselijke garage en dan zo snel mogelijk naar een echte werkplaats. Meestal is dan een stad(je) buiten de route dichterbij dan de volgende plaats met 'fietsje' op de route zelf.

Camping: Frankrijk kent de instelling van de 'camping munici-pal' oftewel gemeentelijke camping: eenvoudige campings dicht bij stad of dorp met een heel aantrekkelijke overnachtingspijs. Vaak is er geen bureau ('s avonds komt er iemand langs voor de verplichte bijdrage, meestal zo'n 30 francs voor twee personen). Inkopen kan alleen in het dorp of stad. Op particuliere campings is men veel meer geld, soms wel 100 francs, kwijt zonder dat de service voor de fietser veel groter is.

Camping à la ferme: De Camping à la ferme (vergelijkbaar met de SVR-campings in Nederland) is in opkomst; sommige van deze boerderijcampings zijn echter niet zo aantrekkelijk wegens ge-brek aan hygiëne. Wat groter zijn de "aires naturelles".

Jeugdherberg: De aangegeven jeugdherbergen zijn gecontro-leerd aan de hand van de jaargidsen. Zowel in de Belgische als in de Luxemburgse en Franse hebben volwassenen toegang, maar ze zijn op deze route dun gezaaid. Een lidmaatschapskaart NJHC is geen vereiste, maar levert wel korting op. Natuur-vriendenhuizen zijn er meer. Deze zijn echter niet vermeld: Om toegang te krijgen moet men lid zijn van het NIVON en leden kunnen daar een gidsje krijgen.

Hotel: Logiesmogelijkheden zijn zoveel mogelijk aangegeven, zodat een redelijke planning mogelijk is. Maar de restricties hier-boven onder 'winkel' gelden bij hotels in nog heviger mate. In kleinere plaatsen ziet men vaak geen brood meer in het verhu-ren en onderhouden van kamers in hotels, tenzij semi-particu-lier in de vorm van Gîtes d'Etape of Chambres d'Hôte. Ze wor-den zo veel mogelijk vermeld, maar ook hierin is veel verande-ring. De verhalen over hotels waar bezwete fietsers de deur wordt gewezen, raken achterhaald. Nu zovele "lotgenoten" onder-weg zijn, is dit gat in de markt wel ontdekt. Zeker in voor- en naseizoen is vast onderdak vinden geen probleem.

Gîtes d'Etape: Het woord "gîte" heeft veel betekenissen. Het is een huisje of appartement op het platteland. Ze verschillen onderling heel erg van opzet en service. Voor ons zijn alleen de Gîtes d'Etape van belang: onbeheerde, soms gemeentelijke, mini-herbergen met gemeenschappelijke voorzieningen. Ze zijn bedoeld voor passanten die slechts één of twee dagen blijven. Er is een trekkerskeuken, douche, dagverblijf en slaapzaal. Ideaal voor kampeerders bij slecht weer!

Chambres/Tables d'Hôte: Chambres d'Hôte zijn kamers met ontbijt bij particulieren (vgl. Bed and Breakfast), Tables d'Hôte bieden tevens een warme avondmaaltijd aan hun gasten.

4.3. Start- en eindpunten

Voorop zij gesteld, dat de hieronder vermelde vervoersvoorzie-ningen per trein of bus per jaar kunnen wijzigen. Informatie bij de betreffende maatschappijen vooraf is dus een absolute nood-zaak! Ook moet zowel de heen- als de terugreis tevoren in Nederland geboekt worden.

Maastricht: Deze routebeschrijving begint vóór het station van Maastricht. Wie eerder wil beginnen kan de bewegwijzerde rou-tes van het Landelijk Fietsplatform (bij voorbeeld de LF-3) volgen.

Met de trein is Maastricht heel gemakkelijk te bereiken, omdat de NS in de zomermaanden een speciale fietswagon koppelt aan vele Intercity's, zoals Haarlem - Maastricht. Amsterdam CS, Utrecht, 's-Hertogenbosch en Eindhoven zijn hiervoor bekende overstapstations. Op zaterdag rijdt eveneens de zgn. Valkenburgexpres, die vanuit een groot aantal steden reizigers en fietsen zonder overstappen ook naar Maastricht brengt.

Luxemburg: De stad Luxemburg is een tweede mogelijk start-punt. Voordelen: de totale fietsafstand is korter (1000 km voor de totale route naar St.Pierre), men vermijdt de hoge Ardennen en de Middellandse Zee is ook voor de niet-geroutineerde fiet-ser in twee weken te halen.

In de zomermaanden gaat er op zaterdag een rechtstreekse trein van Zandvoort over Amsterdam, Utrecht en Maastricht naar Luxemburg. Het grensoverschrijdend fietsvervoer is hierbij vóór het vertrek in één keer te regelen. In andere gevallen geldt een fietsvervoerbewijs slechts voor één land. Bij iedere grens moet je dus een nieuw kaartje kopen! Ook deze mededeling is onder voorbehoud!

Halverwege: De fietsbussen hebben ook stopplaatsen in mid-den-Frankrijk. De Fietsvakantiewinkel in Woerden geeft ieder jaar een gidsje uit met daarin alle operators die fietsbussen ex-ploiteren met de uit- en opstapplaatsen. U reist in een bus (soms in een slaapbus), de fiets gaat in een aanhanger. Deze manier van reizen moet tevoren in Nederland geregeld worden. Voor wie alleen geïnteresseerd is in het laatste deel van de tocht: het is bij voorbeeld mogelijk een heenreis te boeken naar een plaats halverwege en dan terugreizen vanaf Arles.

4.4. Naar huis terug

Er zijn vier manieren om naar huis terug te keren:

1. Op de fiets: u kent de weg nu, de afstand en de tijd die het kost.

2. Met de fietsbus: buiten en soms ook in het hoogseizoen kan men bij de touroperators een enkele reis boeken. Arles, Nîmes en Narbonne zijn al jaren bekende opstapplaatsen. Informatie hierover bij de Fietsvakantiewinkel in Woerden (tel. 0348-421844).

3. Met de trein: Het dichtstbijzijnde station bij het eindpunt van de route is St.Gilles. Van hier kan men naar Arles en vandaar richting Nederland. Maar fietsen apart opsturen kan niet meer. Dit geldt ook voor fietsen meenemen in sneltreinen en TGV. Men zal dus met lokale treinen moeten gaan, een avontuurlijke en tijdrovende geschiedenis, die nogal wat vergt van het improvi-satievermogen.

4. Met de autoslaaptrein vanaf Avignon of Narbonne naar 's-Hertogenbosch. Een enkele reis (75% van de retourprijs. Dit is f 300 à f 400 per persoon afhankelijk van datum en accom-modatie) is geen probleem. Informatie hierover bij de Nederlandse Spoorwegen en bij de Fietsvakantiewinkel. Evenals de fiets(slaap)bus moet men deze in Nederland boeken.

HOOFDSTUK 5
ROUTEBESCHRIJVING

Verklaring tekens

Café / Rest.	☕
Winkel	🛒
Fietsenzaak	🚲
Camping	⛺
C – ferme	⛺
Jeugdherberg	🏠
Hotel	🛏
Gite d'Etape	🏠
Ch. d'H / Table d'H	🏠

Linksaf	←
Schuin linksaf	↖
Scherp linksaf	↙
Rechtdoor	↑
Rechtsaf	→
Schuin rechtsaf	↗
Scherp rechtsaf	↘

Bovendien:

eind	= einde weg
kp	= kruispunt
vw	= voorrangsweg
ri	= richting
spl	= splitsing
stopl	= verkeerslichten
brug	= over brug
kruis	= gelijkvloers oversteken
over	= viaduct over
onder	= tunnel onder
bord verkeerd	= bord bij nadering niet zichtbaar
fp	= fietspad .
Grozon	= bedoelde plaats in of door
*Grozon	= zie beschrijving toeristische tekst
Grozon	= grotere plaats met alle voorzieningen (campings en jeugdherbergen worden altijd vermeld)
Ch.	= Chemin (= weg)

1. Ardennen: Maastricht - Bettembourg (L) 254 km

*Deze etappe - en daarmee de route - begint voor het station van Maastricht, of liever van **WIJCK**, de stadswijk aan de 'overzijde' van de Maas. Wijck is een bezoek waard: sla even linksaf en fiets via kleine straatjes naar de Maas. De route volgt eerst deze rivier. Rechts aan de overkant van het water de stad en de St.Pietersberg, links het terrein van de voormalige keramiekfabriek waarop een geheel nieuwe stadswijk ontstaat. Verderop het architectonisch bijzondere provinciehuis, half boven de Maas gebouwd en links vooruit de skyline van het Handels- en Congrescentrum MECC. De route zoekt echter de rust van het landelijke Maasdal over smalle wegen en fietspaden. Na 14 km gaat het bijna ongemerkt de grens over. In zoverre ongemerkt: men voelt het in de benen, want België (de Ardennen!) eist onmiddellijk haar tol in de vorm van een flinke helling. Dan door een licht stijgend dal langs Val-Dieu naar Clermont en vervolgens een steile klim om weer uit dit dal te komen. Maar wie op één dag zo ver wil komen na een lange treinreis kan wel eens te veel van zichzelf vergen. Het is te overwegen het eerste tentje op te slaan bij Maastricht of in de Voerstreek en dan de volgende ochtend echt te beginnen.*

Maastricht: Als eersten hebben de Romeinen op deze plek een versterking gebouwd (nu Stokstraatkwartier) bij een doorwaadbare plek in de Maas. Later is hier een brug geslagen. Achter het militaire centrum werd een handelsnederzetting gebouwd, want 'Trajectum ad Mosam' werd een belangrijk knooppunt van wegen. Na de kerstening werd Maastricht bisschopszetel, maar later werd deze om veiligheidsredenen verplaatst naar Luik. Hierdoor verloor de stad veel van haar glans. In de 80-jarige oorlog werd ze grensstad. Economisch herstel - vooral door de papier- en de cementindustrie en de keramiek - kwam pas na 1839 toen de stad definitief onder Nederlands bestuur kwam. Deze industrieën zijn nu alle naar buiten de stad verplaatst. Het accent ligt nu op onderwijs: universiteit, kunstacademies, conservatorium en toneelacademie. Veel ouds is voortreffelijk gerestaureerd en een dagje cultureel Maastricht is de moeite waard, maar ook de horeca is kwalitatief van hoog niveau. Kortom: Maastricht is verdraaid gezellig!

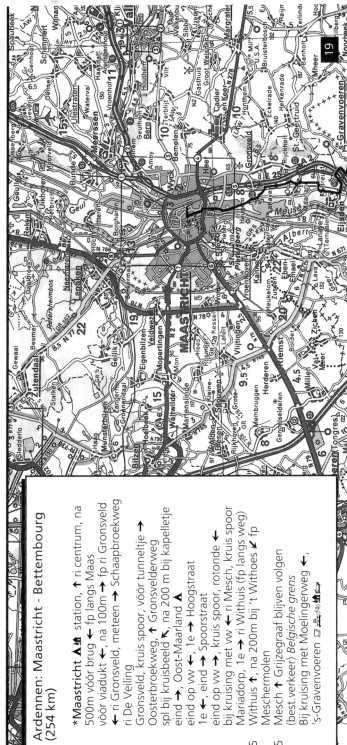

19

1	Ardennen: Maastricht - Bettembourg (254 km)
0	*Maastricht ⚑ station, ↑ ri centrum, na 500m vóór brug ↙ fp langs Maas
1,5	vóór viadukt ↙, na 100m → fp ri Gronsveld ← ri Gronsveld, meteen → Schaapbroekweg ri De Veiling
6	Gronsveld, kruis spoor, vóór tunneltje →
7,5	Oosterbroekweg, ↑ Gronsvelderweg spl bij kruisbeeld ↖, na 200 m bij kapelletje eind →, Oost-Maarland ▲
8	eind op vw ←, 1e → Hoogstraat
8,5	1e ←, eind → Spoorstraat
9,5	eind op vw →, kruis spoor, rotonde ←
11	bij kruising met vw ← ri Mesch, kruis spoor
12	Mariadorp, 1e → ri Withuis (fp langs weg)
12,5	Withuis ↑, na 200m bij 't Withoes ↙ fp Meschermolen
13,5	Mesch ↑ Grijzegraaf blijven volgen (best.verkeer) *Belgische grens*
15	Bij kruising met Moelingerweg ↓, 's-Gravenvoeren

De grensovergang: Als teken van het één wordende Europa hangt de grenspaal scheef in de berm, maar dan die betonnen versperring? Vrezen we toch nog altijd voor een Belgische invasie? Nee: die is het gevolg van een plaatselijke schoolstrijd: de autoriteiten willen zo voorkomen, dat bewoners van het Nederlandse Mesch hun kinderen met auto's over dit smalle weggetje naar een (betere?) Vlaamse school brengen!
De noordelijke Ardennen zijn berucht om de steile hellingen. Men klimt in feite van bijna zeeniveau (Maastricht) over een luttel aantal kilometers naar een hoogte van 560 meter in de buurt van Spa en dan nog hier en daar een honderd meter omhoog en omlaag. Vermoeiend, maar zeer verrassend: je voelt je meteen al behorend tot het gilde van de klimmers in dit buitenland-vlak-bij-huis. Opvallend is ook, dat de bossen in de dalen liggen en dat op de hoogvlakte landbouw beoefend wordt.
Tegen de verwachting in worden de hellingen naar het zuiden toe minder steil. Of is dat een gevolg van onze steeds betere lichaamsconditie?

Abbaye Val-Dieu: In de abdij 'Notre Dame de Val-Dieu' wonen sinds 1844 weer monniken (cisterciënzers). Ze ligt diep in het groene dal van de Berwinne verscholen achter dik geboomte. Via de toegangspoort komt men op een groot plein omringd door de gebouwen van de abdijhoeve, het gastenverblijf en het abtskwartier. Dit laatste was de representatieve woning van de abt, de hoogste man, die tevens landsheer was van de wijde omgeving. De abdij dateert van 1216, maar is verschillende keren verwoest, het laatst gedurende de 80-jarige oorlog. Rond 1670 is het complex in Renaissancestijl herbouwd. De Franse revolutie heeft de monniken verdreven, maar de gebouwen gespaard. Veertig jaar later zijn ze er weer teruggekeerd. De huidige kerk dateert van 1870, maar bevat nog tal van relicten uit vroegere eeuwen. Het klooster zelf ligt voor de bezoeker onzichtbaar achter het abtskwartier rond een vierkante binnentuin.
De kerk en het gastenverblijf zijn opengesteld voor bezoekers. Hier even pauzeren voor een hapje en een drankje, zo mogelijk op het terras, is een verademing. Men kan er ook proeven van de specialiteit van deze streek (het Land van Herve): de kaas, verkocht in vierkante brokken. De beste soort heet Remoudou. Dicht bij de abdij liggen een tweetal "hôtels à la ferme".
Clermont: Schilderachtige miniatuurstad met mooie stadspoort. Clermont was in de middeleeuwen een pleisterplaats voor pelgrims naar Santiago de Compostela in Spanje.

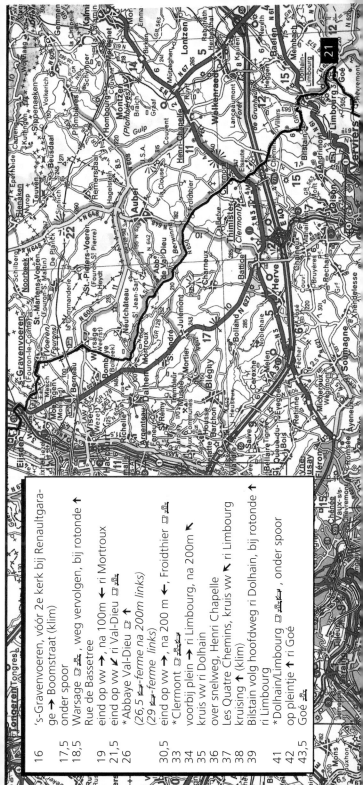

16	's-Gravenvoeren, vóór 2e kerk bij Renaultgarage → Boomstraat (klim)
17,5	onder spoor
18,5	Warsage 🅿, weg vervolgen, bij rotonde ↑ Rue de Bassetree
19	eind op vw →, na 100m ← ri Mortroux
21,5	eind op vw ↙ ri Val-Dieu 🅿
26	* Abbaye Val-Dieu 🅿 ↑ (26,5 ☕-ferme na 200m links) (29 ☕-ferme links)
30,5	eind op vw → na 200 m ↙, Froidthier 🅿
33	*Clermont 🅿
34	voorbij plein → ri Limbourg, na 200m ↖
35	kruis vw ri Dolhain
36	over snelweg, Henri Chapelle
37	Les Quatre Chemins, kruis vw ← ri Limbourg
38	kruising ← (klim)
39	Bilstain volg hoofdweg ri Dolhain, bij rotonde ↑ ri Limbourg
41	*Dolhain/Limbourg 🅿, onder spoor
42	op pleintje ↑ ri Goé
43,5	Goé 🅿

Op de vieringstoren van de kerk staat een pelgrim als windvaan: binnen staat dan ook het beeld van St.Jacob in pelgrims-uitrusting op een ereplaats. Aan de zijkant van de stadspoort is de afbeelding van een pelgrim ingemetseld. Na de klim eens omkijken over het dal: een schitterend panorama!

Dolhain/Limbourg: een tweelingstad. Beneden in het dal van de Vesdre het moderne Dolhain met winkels, horeca en industrie en boven, hoog erboven uitstekend, de 'ville historique'. De naam is te danken aan de heren van Limburg, die vroeger (tot 1288) vanuit deze hoge, veilige plek hun gebied, waartoe ook 'ons' Limburg behoorde, geregeerd hebben. Om de knieën van de fietsers te sparen is gekozen voor een weg onderlangs dit oude stadje, maar de steile klim erheen loont wel de moeite. De eeuwen hebben er stilgestaan. Ofschoon de vestingwerken zelf na een belegering in 1703 geslecht zijn bieden de overgebleven wallen een prachtig uitzicht over de wijde omgeving. De oude, gotische St.Joriskerk is vooral bekend door het Dinantse koperwerk.

Jalhay: In Jalhay heerst vaak een gezellige sfeer. Het zal er nooit echt druk zijn, maar de mensen die je hier ontmoet zijn van het sportieve slag.

Voorbij Goé tonen de Ardennen zich van hun strenge kant: enkele malen achtereen een vrij steile helling, dus rustig beginnen en de spieren niet forceren! De natuur maakt veel van de inspanningen goed. Op de hellingen prachtig bos en boven is het uitzicht - als het weer meewerkt - schitterend. Erg mooi is het korte stukje voorbij La Gleize. waar we in het dal van de Amblève vertoeven. De route kruist dit riviertje, dus na een heerlijke afdaling volgt wel een steile klim. We fietsen steeds door een zeer landelijk gebied, waar vooral in de weekeinden de Luikenaren hun zuurstof bijtanken. Dit geldt vooral voor de vallei van de Lienne, ook al laat hier het vals plat zich goed voelen. Bij het fietsen door deze streek lijkt het of de campings zich aaneen rijgen, maar dat is geenszins het geval, want bijna alle oevers zijn in gebruik van particulieren die er hun stulpje of caravan hebben neergezet. Kampeerders kunnen wel terecht op de camping van Rahier, maar moeten voor de lang tevoren aangekondigde van Lierneux enkele kilometers van de route afwijken, nog bergop ook!

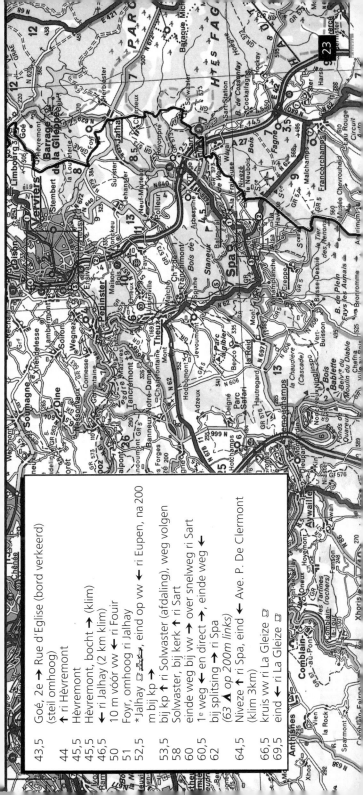

43,5	Goé, 2e → Rue d'Eglise (bord verkeerd) (steil omhoog)
44	↑ ri Hèvremont
45,5	Hèvremont
45,5	Hèvremont, bocht → (klim)
46,5	← ri Jalhay (2 km klim)
50	10 m vóór vw ← ri Fouir
51	Foyr, omhoog ri Jalhay
52,5	*Jalhay ⌷🚲🍴, eind op vw ← ri Eupen, na 200 m bij kp ↑
53,5	bij kp ↑ ri Solwaster (afdaling), weg volgen
58	Solwaster, bij kerk ↑ ri Sart
60	einde weg bij vw → over snelweg ri Sart
60,5	1e weg ← en direct →, einde weg ←
62	bij splitsing → ri Spa (63 ⛺ op 200m links)
64,5	Niveze ↑ ri Spa, eind ← Ave. P. De Clermont (klim 3km)
66,5	kruis vw ri La Gleize ⌷
69,5	eind ← ri La Gleize ⌷

Na Lierneux volgt weer een klim naar 560 meter bij Ottré. Behalve afdaling naar de jonge Ourthe (camping) blijven we op de hoogvlakte tot in Luxemburg. Dit betekent weids uitzicht over de Ardennen en een golvende weg door een landbouwstreek. De dorpjes stellen niet veel voor. De kerken vertonen allerlei neo-stijlen, maar het zijn de enige gebouwen die nog iets karakteristieks hebben. We moeten niet vergeten, dat deze dorpen in tachtig jaar tijd drie, soms vier keer verwoest zijn door oorlogsgeweld. We komen namelijk in de buurt van Bastogne: vooral rond kerstmis 1944 is deze streek een hel geweest voor soldaten en burgers: het Ardennenoffensief.

De overgang naar Luxemburg verloopt even ongemerkt als die naar België op de eerste dag. Direct erover blijkt dat Luxemburg een rijk land is in tegenstelling met het gepasseerde deel van Wallonië. Meer en beter gesorteerde winkels en horeca, veel banken, meer toerisme. Het is er ook schoner en beter geregeld, maar minder gemoedelijk en zeker in de zomer is het verkeer er drukker.

Het land is volledig drietalig: Frans, Duits en Letzeburgs (verkeersborden!), maar ook Nederlands sprekend kan men zijn boodschappen doen.

Na het passeren van de grens volgen we het dal van de Wiltz. Vanaf Bastogne ten westen van de route naar het stadje Wiltz heeft men een toeristisch fietspad aangelegd over een voormalige spoorbaan. Zo'n fietspad is een vinding die in Luxemburg veel wordt toegepast. Het voordeel van deze tracés is, dat ze re-

latief vlak zijn. Vanaf Schlief maken we er acht kilometer dankbaar gebruik van.

Wiltz (beschrijving verderop) is de eerste echt drukke toeristenstad op deze route. Er is dan ook wat voor te zeggen bij Schlief nog even op de tanden te bijten, door te fietsen en hier een rustdag te nemen (camping vrijwel in het centrum van de benedenstad juist over de brug). Wie daarna de trein neemt naar Goebelsmuhle (heel goedkoop!) vermijdt de klim naar Goesdorf. Maar... weersta wel de verleiding nog verder van de Luxemburgse spoorwegen gebruik te maken, want het dal van de Sure moet men vanaf het zadel genieten: bij de mooiste stukjes zit de trein juist in een tunnel! Wie vroeg genoeg opstaat en genoemd stukje de trein pakt kan in één dag Luxemburg halen.

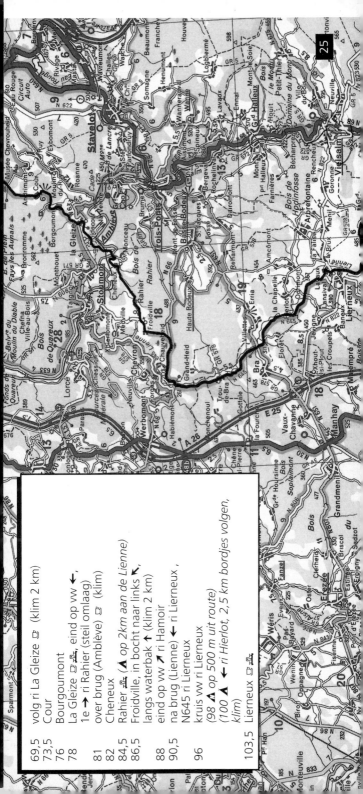

69,5	volg ri La Gleize 🏕 (klim 2 km)
73,5	Cour
76	Bourgoumont
78	La Gleize 🏕 ⚕, eind op vw ↙, 1e → ri Rahier (steil omlaag)
81	over brug (Amblève) 🏕 (klim)
82	Cheneux
84,5	Rahier ⚕ (▲ op 2km aan de Lienne)
86,5	Froidville, in bocht naar links ↖, langs waterbak ↑ (klim 2 km)
88	eind op vw ↗ ri Hamoir
90,5	na brug (Lienne) ← ri Lierneux, N645 ri Lierneux
96	kruis vw ri Lierneux *(98 ▲ op 500 m uit route)* *(100 ▲ ← ri Hierlot, 2,5 km bordjes volgen, klim)*
103,5	Lierneux 🏕 ⚕

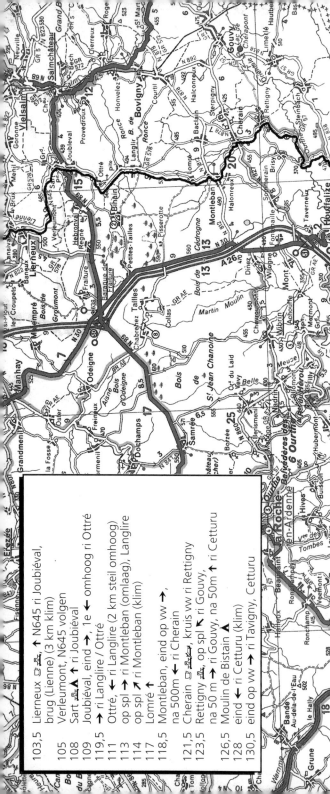

103,5	Lierneux 🏨🍴⛽ ↑ N645 ri Joubiéval, brug (Lienne) (3 km klim)
105	Verleumont, N645 volgen
108	Sart ⛽▲ ↑ ri Joubiéval
109	Joubiéval, eind ↑, 1e ← omhoog ri Ottré
119,5	↑ ri Langlire / Ottré
111	Ottré, ← ri Langlire (2 km steil omhoog)
113	op spl ↖ ri Montleban (omlaag), Langlire
114	op spl ↗ ri Montleban (klim)
117	Lomré ←
118,5	Montleban, eind op vw →, na 500m ← ri Cherain
121,5	Cherain 🏨🍴⛽, kruis vw ri Rettigny
123,5	Rettigny ⛽, op spl ↙ ri Gouvy, na 50 m → ri Gouvy, na 50m ↑ ri Cetturu
126,5	Moulin de Bistain ▲
128	eind ← ri Cetturu (klim)
130,5	eind op vw → ri Tavigny, Cetturu

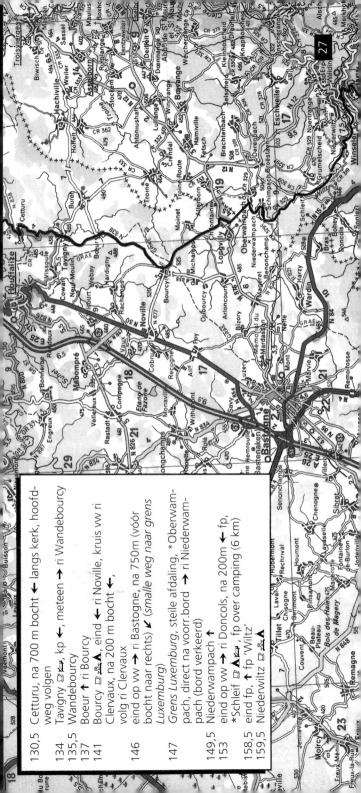

130,5	Cetturu, na 700 m bocht ← langs kerk, hoofd-weg volgen
134	Tavigny ⌂🚲, kp ←, meteen → ri Wandebourcy
135,5	Wandebourcy
137	Boeur ↑ ri Bourcy
141	Bourcy ⌂🏪▲, eind ← ri Noville, kruis vw ri Clervaux, na 200 m bocht ↓, volg ri Clervaux
146	eind op vw → ri Bastogne, na 750m (vóór bocht naar rechts) ↙ (smalle weg naar grens Luxemburg)
147	Grens Luxemburg, steile afdaling, *Oberwam-pach, direct na voor.bord → ri Niederwam-pach (bord verkeerd)
149,5	Niederwampach ↑
153	eind op vw → ri Doncols, na 200m → fp, *Schleif ⌂▲🚲, fp over camping (6 km)
158,5	eind fp, ← fp 'Wiltz'
159,5	Niederwiltz ⌂🚲▲

Oberwampach: Het interieur van de kleine kerk bezit mooie fresco's uit de 15e eeuw. Ook zijn er grafstenen te bewonderen waaronder de stoffelijke resten liggen van de vroegere adellijke heersers van dit gebied.

Schleif: Voormalig station bij de camping die doorkruist wordt door het fietspad over het tracé van de ex-spoorweg. Er heeft hier overigens nooit een personentrein gereden. Het gedeelte tussen Wiltz en Bastogne (B) werd alleen gebruikt voor goederenvervoer, in hoofdzaak boomstammen.

Wiltz: We komen Wiltz binnen in Niederwiltz of de Basse Ville, het lage gedeelte van het stadje aan de rivier. Dit heeft een duidelijk industrieel/zakelijk karakter. Het oorspronkelijke Wiltz (de Haute Ville) ligt hoog op de andere oever en is alleen met een forse pedaaltred te veroveren. Hier is men geheel op toerisme ingesteld. De top wordt bekroond door een indruk-wekkend kasteel, dat minder oud is dan het lijkt: 17e eeuws. Het is nu - naast verzorgingshuis voor ouderen - folklore-museum. Vooral in juli bruist het centrum van het leven, want dan is er een groot festival van muziek, toneel en dans (openluchttheater).

De heren van Wiltz waren vroeger machtige feodale heersers, maar na 1800 nam een actieve burgerij het heft in handen: het stadje kwam tot bloei. In de 2e wereldoorlog is het totaal verwoest, men kan dit nog zien in het oorlogsmuseum, vrijwel geheel gewijd aan het Ardennenoffensief. Tenslotte nog een paar bezienswaardigheden: de kerk van Notre-Dame, het Nationaal

Stakingsmonument, de Tuin van Wiltz (aangelegd door gehandicapten) met veel sculpturen en de decanale kerk in Niederwiltz.

Het dorp Boeur

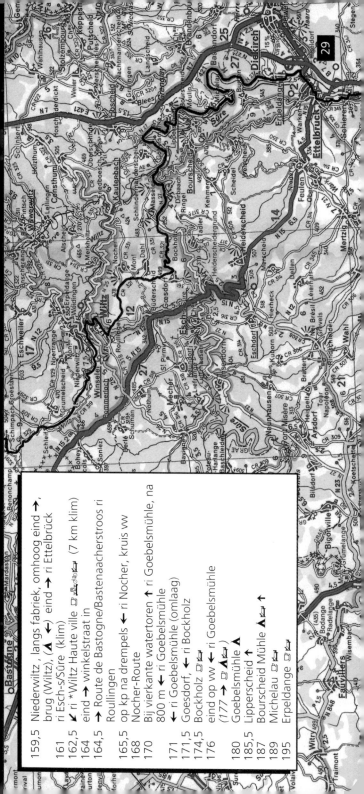

159,5	Niederwiltz, langs fabriek, omhoog eind →, brug (Wiltz), (▲ ←) eind → ri Ettelbrück
161	ri Esch-s/Sûre (klim)
162,5	← ri *Wiltz Haute ville ⌂☕⛽ (7 km klim)
164	eind → winkelstraat in
164,5	→ Route de Bastogne/Bastenaacherstroos ri Roullingen
165,5	op kp na drempels ← ri Nocher, kruis vw
168	Nocher-Route
170	Bij vierkante watertoren ↑ ri Goebelsmühle, na 800 m ← ri Goebelsmühle
171	← ri Goebelsmühle (omlaag)
171,5	Goesdorf, ← ri Bockholz
174,5	Bockholz ⌂☕
176	eind op vw ← ri Goebelsmühle (177 → ⌂▲☕)
180	Goebelsmühle ▲
185,5	Lipperscheid ↑
187	Bourscheid Mühle ▲☕ ↑
189	Michelau ⌂☕
195	Erpeldange ⌂☕

29

Ettelbrück: Centraal gelegen plaats (6500 inwoners, maar 's zomers een veelvoud hiervan) waar Wark, Alzette en Sûre samenvloeien. Knooppunt van wegen en spoorwegen en mede hierdoor economisch sterk ontwikkeld. Ofschoon de naam - afgeleid van 'Attila' -veelbelovend klinkt is de historische betekenis gering. Bovendien: ook hier is het oude tijdens het Ardennenoffensief grondig uitgewist. De voornaamste bezienswaardigheid heeft dan ook hierop betrekking: het Pattonmonument en -museum, genoemd naar een bekende Amerikaanse generaal uit de 2e wereldoorlog. De omgeving, vooral langs de oevers, is erg aantrekkelijk. De paden hierlangs zijn als fietspad ingericht met eigen richtingwijzers, o.a. naar Echternach. Wie tijdens deze tocht Luxemburg in zijn hart gesloten heeft zal hier zeker terugkeren voor een langere actieve fietsvakantie. Je kunt hier letterlijk alle kanten op!

Na een klim van zeven kilometer bereiken we het dal van de Sûre. Vanaf Lipperscheid kronkelt onze weg verder hierlangs. Ze heeft zich diep ingeslepen in de rotsen en een nauw dal gevormd waar rivier, spoorlijn en weg amper inpassen: onze 'plattelanders' een uniek gezicht. Vóór Ettelbrück verbreedt het dal zich en biedt daardoor plaats aan deze stad, maar ook aan druk verkeer. Daarom is gekozen voor een aantal paden en weggetjes om redelijk ongestoord het welvarende centrum te kruisen. Wel moet men dan zijn ogen sluiten voor de vele betonnen constructies boven, onder en naast het pad, die het uitzicht op de natuur ontnemen. Daar voorbij komen we langs onze nieuwe gezellin: de Alzette. Deze is vooralsnog niet zo duidelijk onze gids: de weg ligt er nogal wat van verwijderd in het brede dal. Daar waar de route linksaf gaat (km 205) richting 'Vallée d'Alzette' ligt rechts Berg: de residentie van de Groothertog. Verder gaat het door schone dorpen met veel bloemen (geraniums) door een weinig toeristisch gebied richting hoofdstad van deze ministaat.

In Walferdange en Dommeldange ervaren we stedelijke drukte: deze dorpen zijn uitgegroeid tot voorstadjes van Luxemburg. Langs de drukke weg ligt een fiets- en/of parkeerstrook, een nogal twijfelachtige toestand. Over het spoor volgt een verrassing: een bewegwijzerd pad, althans een weg waar fietsers vrij baan hebben. Dit pad volgt grotendeels het dal van de Alzette en is dus zo goed als vlak. Met deze rivier meanderen we mee tot in de tweelingdorpen Hesperange en Alzingen.

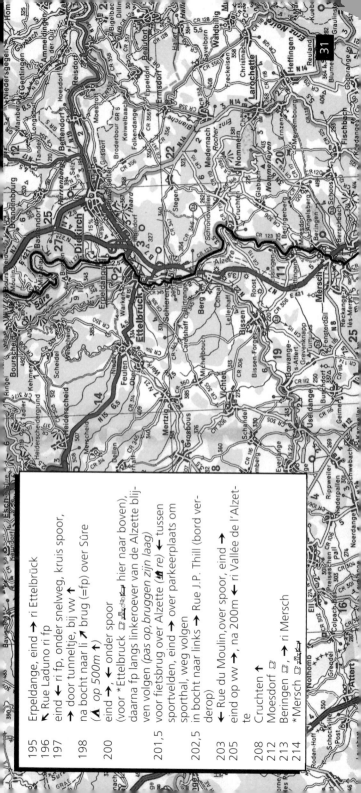

31

195	Erpeldange, eind → ri Ettelbrück
196	← Rue Laduno ri fp
197	eind ← ri fp, onder snelweg, kruis spoor, → door tunneltje, bij vw ←
198	na bocht naar li ↗ brug (=fp) over Sûre (▲ op 500m ↑)
200	eind →, ← onder spoor (voor *Ettelbruck 🚲 🚏 ♿ hier naar boven), daarna fp langs linkeroever van de Alzette blijven volgen (pas op, bruggen zijn laag)
201,5	voor fietsbrug over Alzette (▲ re) ← tussen sportvelden, eind → over parkeerplaats om sporthal, weg volgen
202,5	in bocht naar links → Rue J.P. Thill (bord verderop)
203	← Rue du Moulin, over spoor, eind →
205	eind op vw →, na 200m ← ri Vallée de l'Alzette
208	Cruchten ↑
212	Moesdorf 🚲
213	Beringen 🚲, → ri Mersch
214	*Mersch 🚲 🚏 ♿

Mersch: Evenals Ettelbrück ligt Mersch bij de samenvloeiing van drie riviertjes: de Eisch, de Mamer en de Alzette. Het kasteel van Mersch stamt uit de 12e eeuw, maar het huidige gebouw is 600 jaar jonger. Aan de achterzijde van de kerk is een Romeinse villa blootgelegd: de Villa Marisca; hier is vooral goed te zien de ingenieuze centrale verwarming van de Romeinen, het zgn. hypocaustum. Aan de St.Michaelstoren is een aardige anekdote verbonden: de kerk is afgebroken in 1850 en vervangen door een 'moderne', maar de toren is gespaard, omdat Anna Pawlona - de Russische prinses, echtgenote van onze koning Willem II tevens groothertog van Luxemburg - zo van het aanzicht genoot: de uivormige koepel herinnerde haar aan haar vaderland!

Prettingen: Prettingen bezit een ruïne van een 13e eeuws kasteel. De nog intacte hoektorens zijn jonger: van 1571.

Steinsel: In de bossen bij Steinsel ligt nog een ruïne van een Romeinse tempel.

De stadspoort van Clervaux

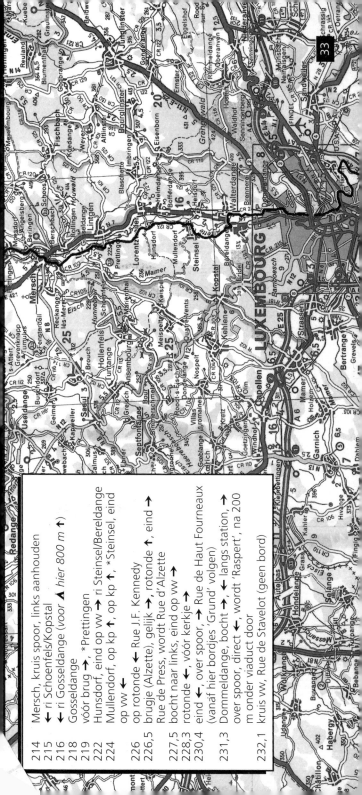

214	Mersch, kruis spoor, links aanhouden
215	← ri Schoenfels/Kopstal
216	← ri Gosseldange (voor ▲ hier 800 m ↑)
218	Gosseldange
219	vóór brug →, *Prettingen
222	Hunsdorf, eind op vw → ri Steinsel/Bereldange
224	Mullendorf, op kp ↑, op kp ↑, *Steinsel, eind op vw ↑
226	op rotonde ← Rue J.F. Kennedy
226,5	brugje (Alzette), gelijk →, rotonde ↑, eind → Rue de Press, wordt Rue d'Alzette
227,5	bocht naar links, eind op vw →
228,3	rotonde ←, vóór kerkje →
230,4	eind ←, over spoor, → Rue de Haut Fourneaux (vanaf hier bordjes 'Grund' volgen)
231,3	Dommeldange, bocht ↑, → langs station, → over spoor, direct ←, wordt 'Raspert', na 200 m onder viaduct door
232,1	kruis vw, Rue de Stavelot (geen bord)

Luxemburg (stad): Hoofdstad van het gelijknamige groot-hertogdom, meer dan 100.000 inwoners. Ze straalt de welvaart uit, waarvan de andere plaatsen slechts bescheiden getuigen. Kenmerkend zijn de vele kolossale gebouwen van banken en Europese instellingen. Tussen station en oude stad bevinden zich de dalen van de Alzette en de Petrusse overbrugd door een aantal viaducten. Hierdoor lijkt het alsof Luxemburg op een steile berg ligt. De steile bergwand is uitgebouwd tot vesting (verschillende van de kazematten zijn te bezoeken). Voor wie van het station naar het centrum rijdt ontvouwt zich een overweldigend panorama. Wie alleen de route volgt mist dit echter, omdat deze het dal volgt. Wel voert ze onder een poort door die vroeger tot de verdedigingswerken behoorde: de Pulvermühl (= kruitmolen).

In de Romeinse tijd bestond al een nederzetting op deze plek waar twee belangrijke wegen elkaar kruisten. De steile hellingen vormden een natuurlijke vesting, welhaast onneembaar voor een vijand. De bekende Franse vestingbouwer Vauban heeft hieraan nog een aantal versterkingen toegevoegd, o.a. 23 kilometers kazematten. In 1867 erkenden de Europese mogendheden Luxemburg als neutrale staat en als teken hiervan werd de stad ontmanteld. Totale afbraak bleek echter te duur.

Tegenwoordig is Luxemburg zetel van verschillende Europese instellingen die gevestigd zijn in moderne torengebouwen...

Enkele bezienswaardigheden zijn: het museum van de post en telecommunicatie met o.a. een unieke verzameling postzegels, de kolossale Pont Adolphe die de stationswijk met het centrum verbindt, de Petrusse-kazematten, het stadspaleis van de groothertog en het oude kasteel, nu zetel van het parlement (de groothertog en zijn gezin wonen in het meer noordelijk gelegen Berg). Het paleis is te bezoeken (gedeeltelijk museum). Tenslotte: de Bock-kazematten, de Vismarkt (het oudste centrum) met daarbij het Staatsmuseum voor Kunst en Geschiedenis en de St.Michaelskerk.

Hier winkelen is vooral duur! Wie vertier zoekt en/of wat te eten en te drinken kan beter terecht in Grund, een stadswijk links van de route ongeveer een halve kilometer voorbij de jeugdherberg. Deze bevindt zich bij km 234,2 linksaf vóór het viaduct. Bij de brug over de Alzette (Rue St.Ulric, km 234,7) is een lift naar het stadscentrum.

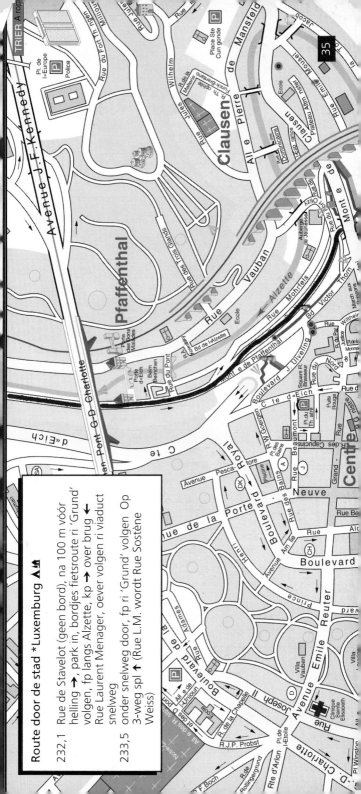

Route door de stad *Luxemburg ⚓🏕

232,1   Rue de Stavelot (geen bord), na 100 m vóór helling →, park in, bordjes fietsroute ri 'Grund' volgen, fp langs Alzette, kp → over brug ↓ Rue Laurent Menager, oever volgen ri viaduct snelweg

233,5   onder snelweg door, fp ri 'Grund' volgen Op 3-weg spl ↑ (Rue L.M. wordt Rue Sostène Weiss)

Fietspad langs de Alzette.

1a Alternatief Luxemburg station – Bisserweg

Wie aan deze route begint voor het station van Luxemburg zal na de treinreis waarschijnlijk schrikken van de drukte. Maar reeds na één kilometer keert de rust weer, na het bereiken van de hoofd-route: het fietspad langs de Alzette (zie verder km 234,7).

Hesperange: Dorp met opvallend veel cafés waar ook goedkoop een voedzame maaltijd te krijgen is, al is de keuze beperkt. Voor Luxemburg geldt, dat achter het venster van elk café een prijslijst hangt waarop ook vermeld staat wat er aan eten te krijgen is. Bij de brug over de Alzette staat een aardige kerk, met zicht op de stroom een mooi plaatje voor het fotoalbum! Boven alles uit torent een indrukwekkende kasteelruïne. Hier woonde eens het geslacht van de Rodemachers dat het leven van de hertogen van Luxemburg eeuwenlang vergald heeft. Wie uiteindelijk gewonnen heeft kan men aan de bouwval zien!

Alzingen: tweelingdorp van Hesperange, ligt aan een drukke brede weg en bezit een modern gemeentehuis annex dorpscentrum. Aan de achterzijde ervan ligt een fraaie waterpartij met bronzen beeldjes. De camping is schoon en goed. Vanaf deze camping kan men heel snel in Hesperange komen over een voetpad achter langs het gemeentehuis.

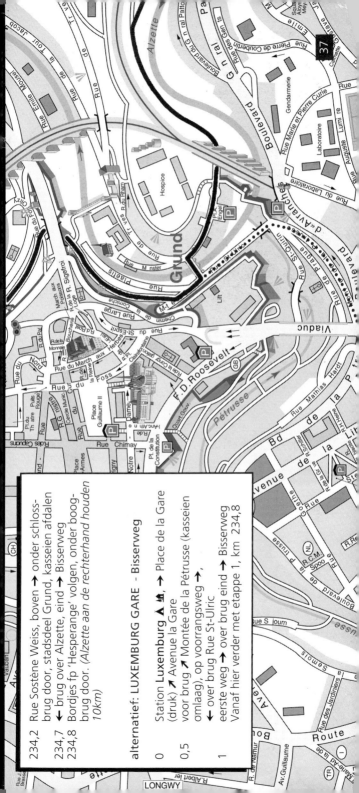

37

234,2 Rue Sostène Weiss, boven → onder schloss-
brug door, stadsdeel Grund, kasseien afdalen

234,7 ← brug over Alzette, eind → Bisserweg

234,8 Bordjes fp 'Hesperange' volgen, onder boogbrug door. (Alzette aan de rechterhand houden
10km)

alternatief: LUXEMBURG GARE - Bisserweg

0 Station Luxemburg ▲ 🏛, → Place de la Gare
(druk) ↗ Avenue la Gare

0,5 voor brug ↗ Montée de la Pétrusse (kasseien
omlaag), op voorrangsweg →,
→ over brug Rue St-Ulric

1 eerste weg → over brug eind → Bisserweg
Vanaf hier verder met etappe 1, km 234,8

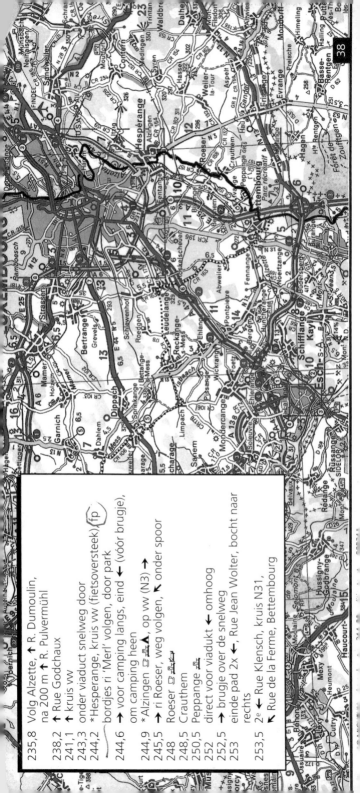

235,8	Volg Alzette, ↑ R. Dumoulin, na 200 m ↑ R. Pulvermühl
238,2	↑ Rue Godchaux
241,1	↑ kruis vw
243,3	onder viaduct snelweg door
244,2	*Hesperange, kruis vw (fietsoversteek) (fp) bordjes ri 'Merl' volgen, door park
244,6	→ voor camping langs, eind ← (vóór brugje), om camping heen
244,9	*Alzingen ⊞ ⌂ ▲, op vw (N3) →
245,5	→ ri Roeser, weg volgen, ← onder spoor
248	Roeser ⊞ ⌂ ⛽
248,5	Crauthem
250,5	Peppange ⛽
252	direct voor viadukt ← omhoog
252,5	→ brugje over de snelweg
253	einde pad 2x ↓ ←, Rue Jean Wolter, bocht naar rechts
253,5	2e ← Rue Klensch, kruis N31, ↙ Rue de la Ferme, Bettembourg

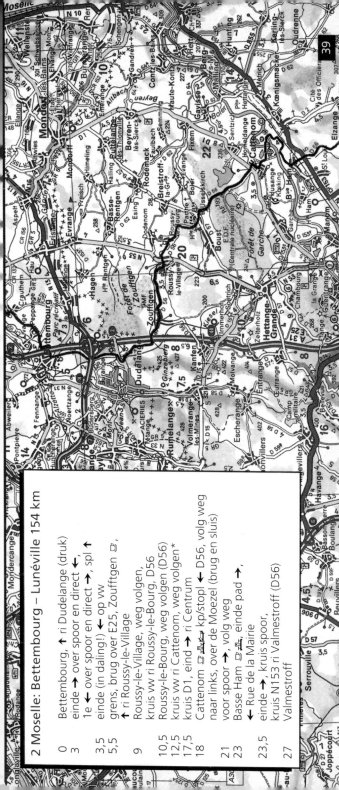

2 Moselle: Bettembourg – Lunéville 154 km

0	Bettembourg, ↑ ri Dudelange (druk)
3	einde → over spoor en direct ↓, spl ↑
3,5	1e ↓ over spoor en direct →, spl ↑
5,5	einde (in daling!) ↓ op vw
	grens, brug over E25, Zoufftgen ⌂,
	↑ ri Roussy-le-Village
9	Roussy-le-Village, weg volgen,
	kruis vw ri Roussy-le-Bourg, D56
10,5	Roussy-le-Bourg, weg volgen (D56)
12,5	kruis vw ri Cattenom, weg volgen*
17,5	kruis D1, eind → ri Centrum
18	Cattenom ⌂ 🏪🍴 kp/stopl ← D56, volg weg
	naar links, over de Moezel (brug en sluis)
21	voor spoor →, volg weg
23	Basse Ham ⌂ 🏪, einde pad ↑,
	← Rue de la Mairie
23,5	einde →, kruis spoor,
	kruis N153 ri Valmestroff (D56)
27	Valmestroff

2. Moselle: Bettembourg – Lunéville 154 km

Wie in stad Luxemburg gestart is zal nu voor het eerst geconfronteerd worden met het golvende landschap van de Ardennen: er zal straks geklommen moeten worden. Maar eerst gaat het overwegend naar beneden naar het dal van de Moselle (= Moezel). Toch is al te merken, dat de Ardennen hun einde naderen. Voorbij Dudelange gaat het bijna ongemerkt over de Franse grens. Pas aan de overzijde van de Moselle voorbij Cattenom, met zijn viervoudige kerncentrale, gaat het uit het rivierdal weer omhoog. De natuur is mooi en afwisselend en zeer landelijk. Het is tamelijk vermoeiend, want steeds moeten korte hellingen genomen worden: niet de hoogte, maar de herhaling van de benen af. De dorpen in het Franse deel van deze etappe zijn erg ontvolkt en hebben hierdoor weinig voorzieningen. Tijdig inkopen is dus van belang.

Vanaf Bettelainville wacht een fikse klim naar Vigy. (Geniet boven even van het uitzicht!) Dan daalt de weg naar Hayes om dan weer omhoog te gaan tussen Landonvillers en Courcelles-Chaussy. Dit laatste is heel geschikt voor de dagelijkse inkopen, voor een koffiepauze en post- of bankzaken, want verder is dat tot Château-Salins slechts beperkt mogelijk. Tot aan deze plaats kan men het karakter van de Ardennen nog herkennen: veel groen en kleinschalige landbouw. Daar voorbij komen we in een gebied met grootschalige akkerbouw. De heuvels zijn hier minder hoog, maar alle dorpjes liggen diep, dus om eruit te komen moet men even flink

trappen.. We zitten midden in een landstreek die Lorraine heet. De dorpen komen - natuurlijk mede door de ontvolking - saai over: een brede straat met aan weerszijden bijna gelijke huizen. De oorzaak hiervan is de centrale aanpak van wederopbouw na de 30-jarige oorlog: rechttoe-rechtaan-bouw om de kolonisten te herbergen die door premies naar dit - toen ook al - ontvolkte gebied getrokken waren. Vaak vormt een rechtgetrokken beek de scheiding tussen de twee helften van zo'n kunstmatig aangelegde plaats. Nog een factor die de saaiheid bevordert is het feit, dat de boerderijen naar binnen gericht zijn: de voorgevel bevat slechts een poort en een klein raampje. Daar komt dan nog bij de grauwe kleur en soms de regen: kan het deprimerender? Ook goed is het te beseffen, dat deze streek tussen 1914 en 1918 oorlogsgebied geweest is. Het Lotharingische front heeft nooit de bekendheid gekregen van Verdun en de Marne, waar honderdduizenden jonge mensen gesneuveld zijn, terwijl het er hier in dit 'rustige' deel van het westelijk front 'slechts' tienduizenden waren. Voor het land betekende dit ook 100% vernietiging van alles wat boven de grond uitstak.....

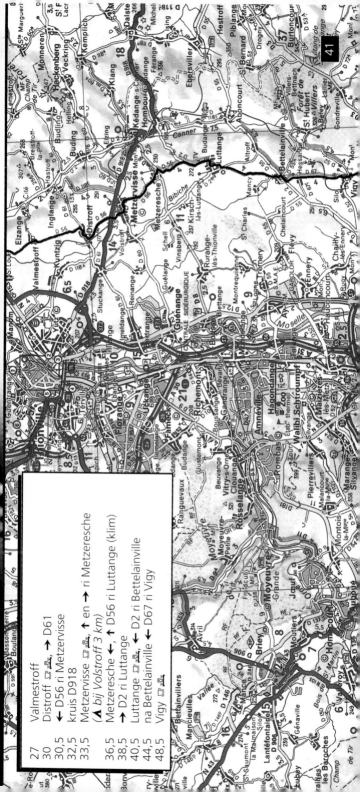

41

27	Valmestroff
30	Distroff 🚉🚲, → D61
30,5	→ D56 ri Metzervisse
32,5	kruis D918
33,5	Metzervisse 🚉🚲, ↑ en → ri Metzeresche
	(▲ bij Volstroff 3 km)
36,5	Metzeresche ←, ↑ D56 ri Luttange (klim)
38,5	↑ D2 ri Luttange
40,5	Luttange 🚉🚲, ← D2 ri Bettelainville
44,5	na Bettelainville ← D67 ri Vigy
48,5	Vigy 🚉🚲

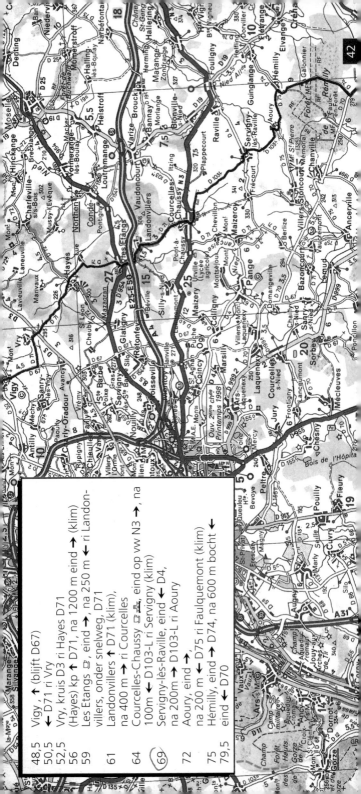

48,5	Vigy, ↑ (blijft D67)
50,5	↓ D71 ri Vry
52,5	Vry, kruis D3 ri Hayes D71
56	(Hayes) kp ↑ D71, na 1200 m eind ↑ (klim)
59	Les Etangs ⌖, eind →, na 250 m ← ri Landon-villers, onder snelweg, D71
61	Landonvillers ↑ D71 (klim), na 400 m → ri Courcelles
64	Courcelles-Chaussy ⌖ ♨, eind op vw N3 ↑, na 100m → D103-L ri Servigny (klim)
	Servigny-lès-Raville, eind ↓ D4, na 200m → D103-L ri Aoury
72	Aoury, eind ↑ na 200 m ← D75 ri Faulquemont (klim)
75	Hémilly, eind ← D74, na 600 m bocht ↓
79,5	eind ↓ D70

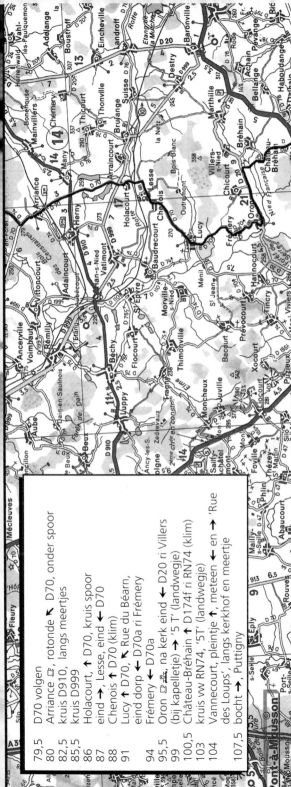

79,5	D70 volgen
80	Arriance ⊞, rotonde ↖ D70, onder spoor
82,5	kruis D910, langs meertjes
85,5	kruis D999
86	Holacourt, ↑ D70, kruis spoor
87	eind →, Lesse, eind ← D70
88	Chenois ↑ D70 (klim)
91	Lucy ↖ D70, ↖ Rue du Béarn, eind dorp ← D70a ri Frémery
94	Frémery ← D70a
95,5	Oron ⊞ ⚏, na kerk eind ← D20 ri Villers (bij kapelletje) → 'S T' (landwegje)
99	Château-Bréhain ↖ D174f ri RN74 (klim)
100,5	
103	kruis vw RN74, 'ST' (landwegje)
104	Vannecourt, pleintje ↑, meteen ← en → 'Rue des Loups', langs kerkhof en meertje
107,5	bocht →, Puttigny

Château-Salins: Streek- en koopcentrum met een leuke kern. Bijzondere markthal met onder het dak een expositieruimte. In het centrum een paar eenvoudige hotels, wat winkels en banken. De camping, een heel eenvoudige municipal ligt bij het sportcomplex. Bij goed weer kan men vanaf deze hoge plek een blik terug werpen op het deze dag doorkruiste gebied.

Landschap bij Puttigny

Na vijf kilometer N74 *(niet al te druk)* voert de route door het Seilledal via Chambrey naar Pettoncourt. Na Moncel gaat de weg door een vallei omhoog. Naar Hoëville zwoegen we over een landweg echt steil naar de top. Uithijgen boven op het uitzichtpunt is de moeite waard: bij helder weer zijn de Vogezen te zien! Daarna gaat het nogmaals omhoog en vervolgens van Serres naar Maixe omlaag. Daar kruisen we het Canal Marne-Rhin en de Sanon. Tenslotte nog eens licht omhoog en weer omlaag naar Lunéville. Misschien iets voor een rustdag?

Lunéville: De eerste echte stad op onze route in Frankrijk. De moeite waard om even te vertoeven. Tegenover het château zijn wat horeca-gelegenheden met terrasjes. Hier kan men rustend genieten van het Franse leven en van het kunstige bouwwerk bij een drankje of een sandwich en een café al dan niet 'crème'. Het château is van het Versailles-type en stamt uit de 18e en 19e eeuw: een hoofdgebouw in het midden en twee volkomen symmetrische vleugels. Een groot ruiterstandbeeld geeft de zaak nog meer allure. Het kasteel bevat een museum met een zeer uiteenlopende collectie kunst. Enigszins apart hiervan een museum van motor en fiets! Achter het kasteel schitterende Franse tuinen. Ook de kapel is fraai. De parochiekerk van St.Jacques is helemaal gebouwd en ingericht in de Rococo-stijl. Het stadhuis en de stadsbibliotheek bevinden zich in een voormalige abdij. De camping ligt vóór het centrum.

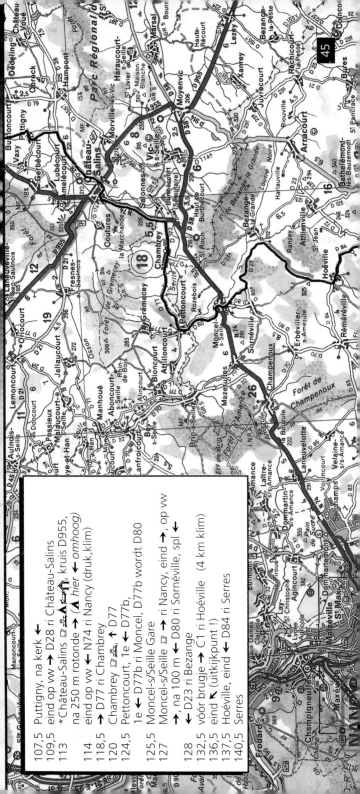

45

107,5	Puttigny, na kerk ←
109,5	eind op vw → D28 ri Château-Salins
113	*Château-Salins ⊠ ⚑ ▲ ← 🏠, kruis D955, na 250 m rotonde → (▲ hier → omhoog)
114	eind op vw ← N74 ri Nancy (druk,klim)
118,5	→ D77 ri Chambrey
120	Chambrey ⊠ ⚑, ↑ D77
124,5	Pettoncourt, 1e ← D77b, 1e ← D77b ri Moncel, D77b wordt D80
125,5	Moncel-s/Seille Gare
127	Moncel-s/Seille → ri Nancy, eind ↑, op vw ↑, na 100 m D80 ri Sornéville, spl ↓
128	← D23 ri Bezange
132,5	vóór brugie → C1 ri Hoéville (4 km klim)
136,5	eind ↙ (uitkijkpunt !)
137,5	Hoéville, eind ← D84 ri Serres
140,5	Serres

3. Lorraine/Vosges: Lunéville – Arc-et-Senans 246 km

Vier kilometer buiten Lunéville kruist de route de rivier de Meurthe en vanaf hier gaat het geleidelijk bergop. De top bereiken we in St. Germain, hierna dalen we snel en gemakkelijk naar Charmes.

Froville: Dorp met pittoreske straatjes, Château met Donjon en Romaanse kerk met fraai gedecoreerd portaal uit de 14e eeuw.

Charmes: Vrij groot centrum met alle denkbare voorzieningen, maar geen historische bezienswaardigheden. De camping ligt westelijk ervan - je kunt hem vanaf de brug rechts al zien - op een eiland gevormd door de Moselle en het Canal Moselle l'Est. Vóór het oprijden van de camping zie je vanaf een smalle brug hoe ingenieus de Fransen de waterhuishouding in een kanaal met zoveel verval regelen.

Vanaf Charmes loopt de route door akkerbouwgebied, maar je ziet ook koeien zijn van het bekende vale type, maar 'onze' zwartbonten dringen op! Het lijkt allemaal slachtvee, want nooit zie je melkactiviteiten. Dit deel van de route is niet moeilijk. Drie hellingen netjes over grotere afstand gespreid. De tweede leidt over een smalle landbouwweg.

Jésonville: De klim die we achter de rug hebben als we in dit dorp aankomen, is een heel bijzondere: we gaan hier namelijk over de grote Franse waterscheiding: tot hier toe stroomt het regenwater via beken en riviertjes naar Meuse (= Maas) of Moselle en komt uiteindelijk via ons land in de Noordzee terecht. Wat voorbij de top in Jésonville valt, vindt zijn einde via de Rhône in de Middellandse Zee.

Darney: Het oude stadje Darney ligt diep in het dal van de nog bescheiden Saône en ziet er echt al Zuidfrans uit. Tijdens de afdaling heeft men een mooi uitzicht op de oude daken. In het centrum met enkele kleine winkels gaat het weer omhoog langs een leuk stadhuis en, boven, een gezellig pleintje met een hotelletje. Even voorbij de camping is een supermarkt.

Ongemerkt verandert het landschap om ons heen: lage heuvels met lange hellingen, minder steil dan in het gebied van de Moselle. Slechts één helling verdient een waarschuwing: die van Amoncourt, maar niet zo zeer vanwege de steilte als wel om aan te zetten tot tijdig schakelen. Kort voor Port-sur-Saône zien we de Saône terug, maar nu als brede rivier waarop scheepvaart en watersport mogelijk is.

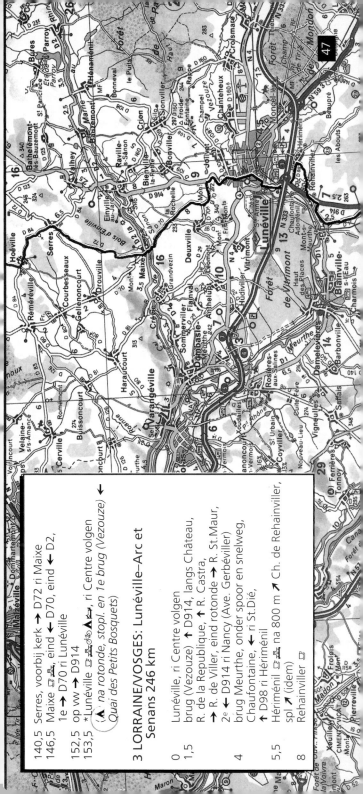

140,5 Serres, voorbij kerk → D72 ri Maixe
146,5 Maixe 🏪 🏠, eind ← D70, eind ← D2,
       1e → D70 ri Lunéville
152,5 op vw → D914
153,5 * Lunéville 🏪🏥♨🏛🅿⚓, ri Centre volgen
       (⚓ na rotonde, stopl. en 1e brug (Vezouze) ←
       Quai des Petits Bosquets)

3 LORRAINE/VOSGES: Lunéville–Arc et
   Senans 246 km

0   Lunéville, ri Centre volgen
1,5   brug (Vezouze) ↑ D914, langs Château,
       R. de la Republique, ↑ R. Castra,
       → R. de Viller, eind rotonde → R. St.Maur,
       2e ← D914 ri Nancy (Ave. Gerbéviller)
4   brug Meurthe, onder spoor en snelweg,
       Chaufontaine, ← ri St.Dié,
       ↑ D98 ri Hériménil
5,5   Hériménil 🏪🏥 na 800 m ↗ Ch. de Rehainviller,
       spl ↗ (idem)
8   Rehainviller 🏪

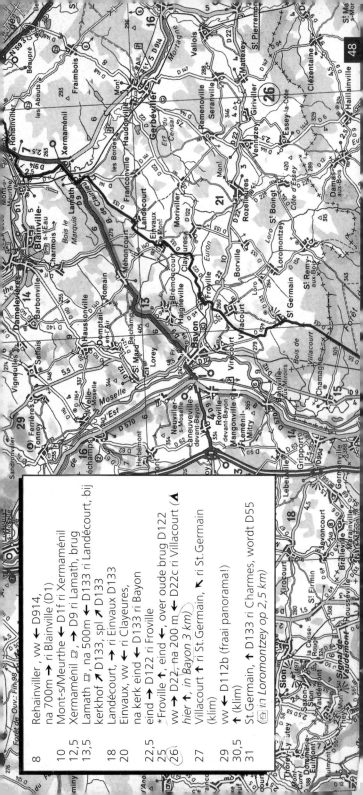

8	Rehainviller , vw ← D914, na 700m → ri Blainville (D1)
10	Mont-s/Meurthe ← D1f ri Xermaménil
12,5	Xermaménil ⌂, ← D9 ri Lamath, brug
13,5	Lamath ⌂, na 500m ← D133 ri Landécourt, bij kerkhof ↗ D133, spl ↗ D133
18	Landécourt, → ri Einvaux D133
20	Einvaux, vw ← ri Clayeures, na kerk eind ← D133 ri Bayon
22,5	eind → D122 ri Froville
25	*Froville ↑, eind ←, over oude brug D122
26	vw → D22, na 200m → D22c ri Villacourt (▲ hier ↑, in Bayon 3 km)
27	Villacourt ↖ ri St.Germain, ↙ ri St.Germain (klim)
29	vw ← D112b (fraai panorama!)
30,5	← (klim)
31	St.Germain, ↑ D133 ri Charmes, wordt D55 (⌂ in Loromontzey op 2,5 km)

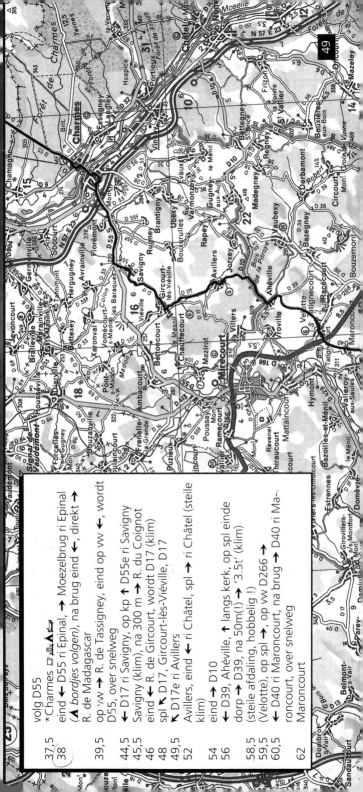

37,5	volg D55
38	*Charmes 🚲🅿🍴🏧
	eind ← D55 ri Epinal, → Moezelbrug ri Epinal
	(▲ bordjes volgen), na brug eind ←, direkt →
	R. de Madagascar
39,5	op vw → R. de Tassigney, eind op vw ←, wordt
	D55, over snelweg
44,5	→ D17 ri Savigny, op kp ← D55e ri Savigny
45,5	Savigny (klim), na 300 m → R. du Coignot
46	eind ← R. de Gircourt, wordt D17 (klim)
48	spl ↖ D17, Gircourt-lès-Viéville, D17
49,5	← D17e ri Avillers
52	Avillers, eind ← ri Châtel, spl → ri Châtel (steile klim)
54	eind → D10
56	→ D39, Ahéville, ← langs kerk, op spl einde
	dorp → D39, na 50m(!) → '3.5t' (klim)
	(steile afdaling, hobbelig !)
58,5	(Velotte) op spl →, op vw D266 →
59,5	→ D40 ri Maroncourt, na brug → D40 ri Ma-
60,5	roncourt, over snelweg
62	Maroncourt

62	Maroncourt, D40 volgen.
63	Hagécourt, eind dorp → brug, D40, na 500m eind ← D4 ri Begnécourt. → D3-J ri Bainville
67	Bainville-aux-Saules ⌂, brug
68,5	eind → op vw D3 ri Begnécourt, na 50 m → D3 ri Pont-lès-Bonfays
69	
72,5	Pont-lès-Bonfays, brug D3
74,5	→ D25, brug ri Les Vallois (⌂ hier → op 2 km in Lerrain)
75,5	Les Vallois, vóór kerk ← op spl → ri Jésonville (steile klim), na 500 m 2x op spl ↙ (kort na elkaar !)
79	*Jésonville ⛪ eind → D6 ri Darney na 600m → ri Dombasle, na 100m spl ↙ (C4) ri Dombasle
81,5	Dombasle-dev-Darney, eind ↙, fontein ← D5a ri Bonvillet, ↑
83	vv ← D5 ri Darney
85	Bonvillet D5, eind → , brug
87	*Darney ⌂ 🏕 ▲ ⌂

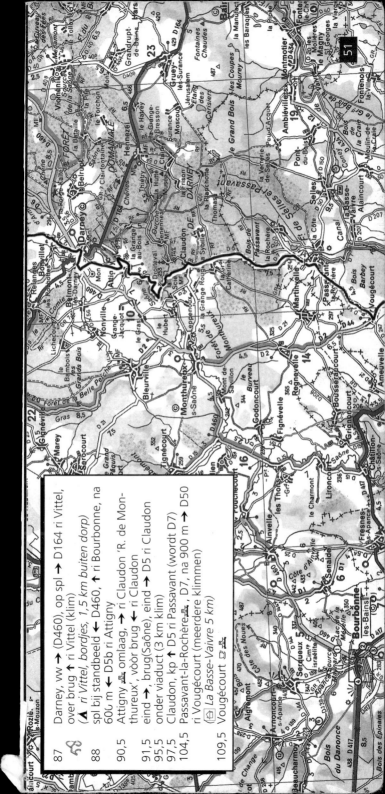

87 Darney, vw → (D460), op spl → D164 ri Vittel, over brug ↑ ri Vittel (klim)

☕ (▲ *ri Vittel, bordjes, 1,5 km buiten dorp*)

88 spl bij standbeeld ← D460, ↑ ri Bourbonne, na 600 m ← D5b ri Attigny

90,5 Attigny ⚐ omlaag, → ri Claudon 'R. de Monthureux', voòr brug ↓ ri Claudon

91,5 eind ↑, brug(Saône), eind → D5 ri Claudon

95,5 onder viaduct (3 km klim)

97,5 Claudon, kp ↑ D5 ri Passavant (wordt D7)

104,5 Passavant-la-Rochère ⛽, D7, na 900 m → D50 ri Vougécourt (meerdere klimmen)

(🏠 *La Basse-Vaivre 5 km*)

109,5 Vougécourt 🚉 🕱

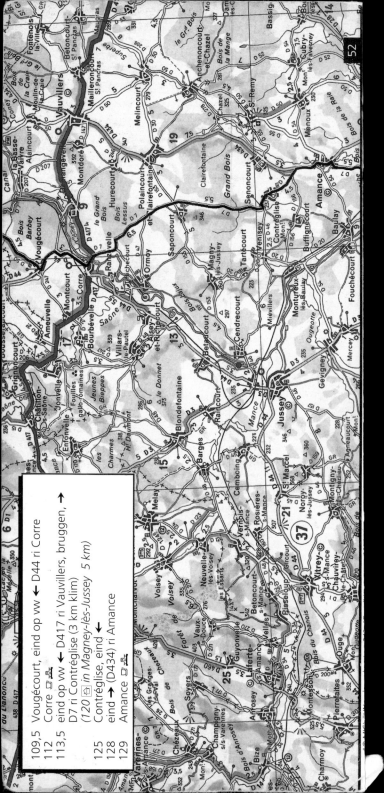

109,5	Vougécourt, eind op vw ← D44 ri Corre
112	Corre ⌕ ⛽
113,5	eind op vw ← D417 ri Vauvillers, bruggen, ↑ D7 ri Contréglise (3 km klim) *(120 ⓘ in Magney-lès-Jussey 5 km)*
125	Contréglise, eind ↓
128	eind → (D434) ri Amance
129	Amance ⌕ ⛽

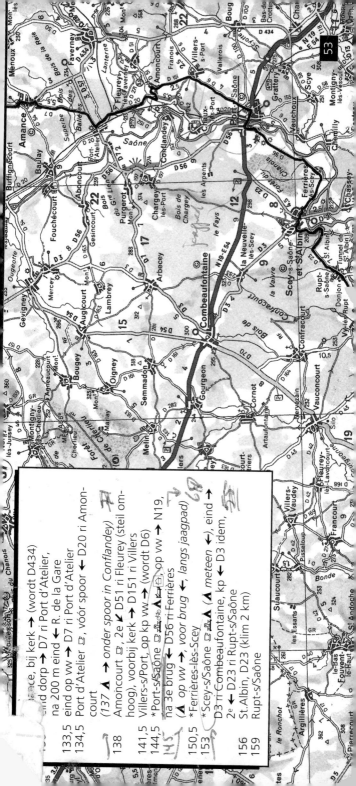

53

ce, bij kerk → (wordt D434)
eind dorp → D7 ri Port d'Atelier,
na 200 m eind → R. de la Gare

133,5 eind op vw → D7 ri Port d'Atelier

134,5 Port d'Atelier ⌷, vóór spoor ← D20 ri Amoncourt

(137 ▲ → onder spoor in Conflandey)

138 Amoncourt ⌷, 2e ← D51 ri Fleurey (steil omhoog), voorbij kerk → D151 ri Villers

141,5 Villers-s/Port, op kp vw → (wordt D6)

144,5 *Port-s/Saône ⌷ ⌷ ⌷ op vw → N19, na 3e brug → D56 ri Ferrières
(▲ op vw ↑, voor brug ←, langs jaagpad)

150,5 *Ferrières-lès-Scey

153 *Scey-s/Saône ⌷ ⌷ (▲ meteen ←), eind → D3 ri Combeaufontaine, kp ← D3 idem, 2e ← D23 ri Rupt-s/Saône

156 St.Albin, D23 (klim 2 km)

159 Rupt-s/Saône

Port-sur-Saône: Streek- en toeristisch centrum met veel winkels en vooral watersport. Het ziet er redelijk welvarend uit. Een knooppunt van waterwegen met drie bruggen: over de haven, het kanaal en de Saône. Langs haven en kanaal ziet men de drukte van plezier- en beroepsvaart. In het centrum zijn de blinde gevels die getuigen van afbraak, heel realistisch beschilderd. De mooie, lommerrijke camping ligt temidden van sportvelden en heeft voorbeeldige sanitaire voorzieningen. Ervóór ligt een gezellig restaurant met een groot terras.

(korte weg om vanaf de camping op de route terug te komen: langs restaurant, brugje over, en over het jaagpad langs de haven richting stad fietsen. Op de voorrangsweg linksaf, dan is men weer op de route, juist voor de eerste brug).

Het verlaten van het Saônedal kost niet veel moeite. Zo komen we in Ferrières. De oude wasplaats hier is zo leuk gerestaureerd en omgebouwd tot waterpartij in een zee van bloemen, dat geen fototoestel in zijn tas blijft. Deze wasplaatsen zijn duidelijk de trots van deze streek. Het land straalt meer welvaart uit en zeker als de zon schijnt is alles er gezelliger dan tot nu toe.
In verband met de naderende Vogezen waarvan we de dreigende hellingen links voor ons zien, wijkt de route vanaf Scey-sur-Saône et-St.Albin naar het westen.

Ferrières-lès-Scey: De hierboven genoemde wasplaats.
Scey-sur-Saône: Let hier op de vele leuke torentjes.

Dubbele brug over de Ain.

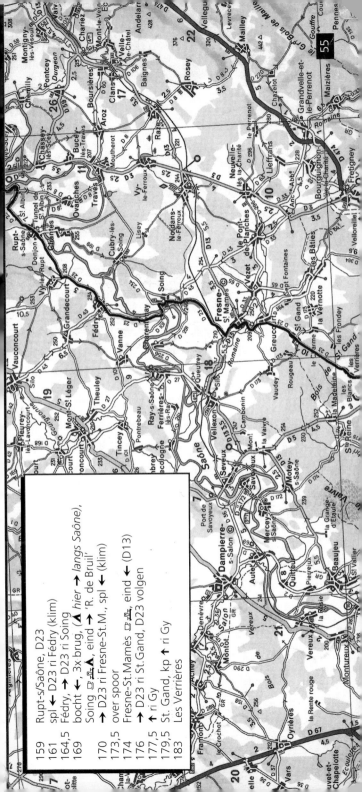

159	Rupt-s/Saône, D23
161	spl ← D23 ri Fédry (klim)
164,5	Fédry, → D23 ri Soing
169	bocht ↓, 3x brug, (▲ hier → langs Saône),
170	Soing ⌂☎▲, eind → 'R. de Bruil'
170	→ D23 ri Fresne-St.M., spl ← (klim)
173,5	over spoor
174	Fresne-St.Mamès ⌂☎▲, eind ← (D13)
176	→ D23 ri St.Gand, D23 volgen
177,5	↑ ri Gy
179,5	St. Gand, kp ↑ ri Gy
183	Les Verrières

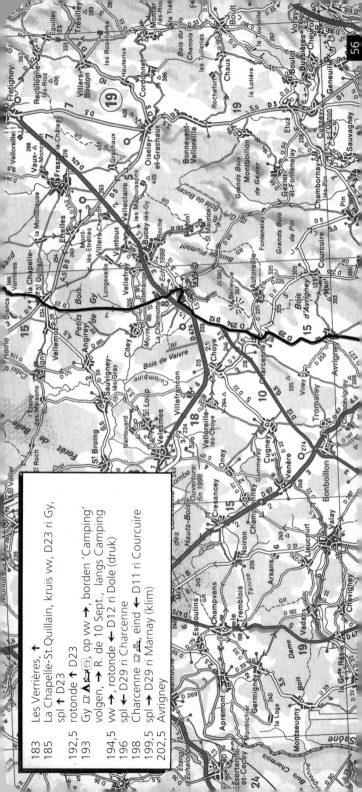

183	Les Verrières, ↑
185	La Chapelle-St.Quillain, kruis vw, D23 ri Gy, spl ↑ D23
192,5	rotonde ↑ D23
193	Gy ⊡ ▲🏕️⊡, op vw →, borden 'Camping' volgen, → R. de 10 Sept., langs Camping
194,5	vw →, rotonde ← D12 ri Dole (druk)
196	spl ← D29 ri Charcenne
198	Charcenne ⊡📮⊡, eind ← D11 ri Courcuire
199,5	spl → D29 ri Marnay (klim)
202,5	Avrigney

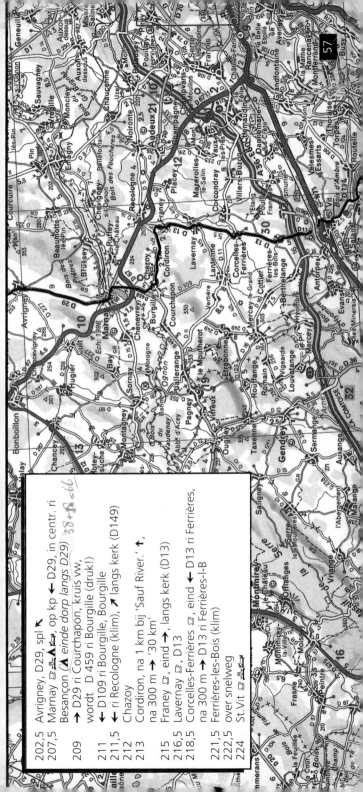

202,5	Avrigney, D29, spl ⚶
207,5	Marnay ⚶ 🏪🏧⚓ℹ, op kp ← D29, in centr. ri Besançon (🏕 *einde dorp langs D29*) 38+8=66
209	→ D29 ri Courchapon, kruis vw, wordt D 459 ri Bourgille (druk!)
211	← D109 ri Bourgille, Bourgille
211,5	↓ ri Recologne (klim), ↗ langs kerk (D149)
212	Chazoy
213	Cordiron, na 1 km bij 'Sauf River.' ↑, na 300 m '30 km'
215	Franey ⚶, eind → , langs kerk (D13)
216,5	Lavernay ⚶, D13
218,5	Corcelles-Ferrières ⚶, eind ← D13 ri Ferrières, na 300 m → D13 ri Ferrières-I-B
221,5	Ferrières-les-Bois (klim)
222,5	over snelweg
224	St.Vit ⚶ 🏪🏧⚓

In de buurt van het streekcentrum Marney ontmoeten we drie rivieren die ontspringen in de Vogezen en die – meer naar het westen – in de Saône uitmonden. Tot Soing zichtbaar, maar verder ongezien vergezelt de Saône ons namelijk op onze weg. Bij Marney kruisen we de Ognon, bij St. Vit de Doubs en bij Arc-et-Senans de Loue. Ook komen we langs een tweetal bezienswaardigheden: de grotten van Osselle en de Saline van Arc-et-Senans. Dit laatste plaatsje telt verschillende hotels en restaurants, maar ook komen we de laatste kilometers voor Arc verschillende 'fermes auberge' tegen.

Grottes d'Osselle: Druipsteengrotten met 8 km gangen waarvan 1,5 km te bezichtigen is. Het opvallende is, dat het levende grotten zijn: druipsteenvorming vindt nog steeds plaats in een onderaardse rivier verricht nog steeds zijn uitslijtend werk. Het eerste deel is door toortsverlichting in het verleden helemaal zwart geblakerd. Rondleiding 70 minuten.

Arc-et-Senans: Heel bijzondere plaats, in 1773 ontworpen vanuit het idealisme van de Verlichting. Op wens van de koning is hier een fabriek gebouwd om zout te winnen. Een zekere Claude-Nicolas Ledoux, koninklijk inspecteur van de zoutwinning en tevens architect, ontwierp een gebouwencomplex in een cirkel van 235 meter doorsnee om de zoute bron met bedrijfsgebouwen, maar ook woningen, kerk, markt, badinrichting en ontspanningsruimte. Dit alles naar het humanitaire en sociale ideaal van die tijd: een goede `n gezonde omgeving leidt tot betere mensen. Jammer ge-

noeg werd alleen het bedrijfsgedeelte uitgevoerd in een halve cirkel met werkplaatsen en arbeiderswoningen. Dit alleen al vormt een indrukwekkend en uniek gebouwencomplex. Wie een rondleiding van een uur te veel vindt, kan een indruk krijgen met een kijkje door de poort en ook profiteren van de winkel- en horecavoorzieningen, in deze streek verder dun gezaaid.

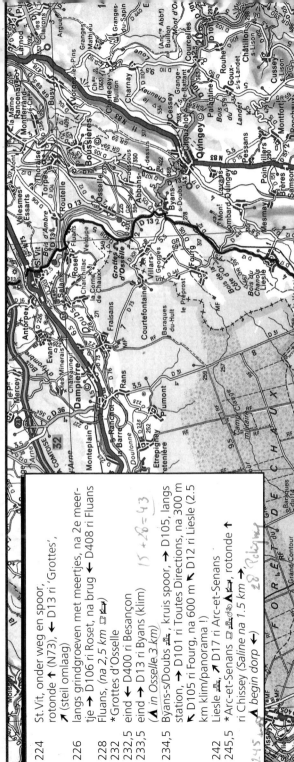

59

224	St. Vit, onder weg en spoor, rotonde ↑ (N73), ← D13 ri 'Grottes', ↗ (steil omlaag)
226	langs grindgroeven met meertjes, na 2e meertje → D106 ri Roset, na brug ← D408 ri Fluans
228	Fluans, *(na 2,5 km 🖼️💧)*
232	*Grottes d'Osselle
232,5	eind ← D400 ri Besançon
233,5	eind → D13 ri Byans (klim) *(⛺ in Osselle 3 km)*
234,5	Byans-s/Doubs 🖼️💧, kruis spoor, → D105, langs station, → D101 ri Toutes Directions, na 300 m ← D105 ri Fourg, na 600 m ↖ D12 ri Liesle (2.5 km klim/panorama !)
242	Liesle 🖼️, ↗ D17 ri Arc-et-Senans
245,5	*Arc-et-Senans 🖼️🏛️🚲🍴⛺, rotonde ↑ ri Chissey (Saline na 1.5 km ↗) ⛺ begin dorp ←)

15 + 28 = 43

28 Pictigny

245 Chissey

4. Jura/Ain Arc-et-Senans – Loyettes 186 km

Vanaf Arc-et-Senans zitten we in de wijnstreek rond Arbois. Hierbij rijden we midden door grote wijngaarden en zien dan rechts van ons een heel modern wijngoed: Henri Maire laat duidelijk merken, dat hij de eigenaar is van dit schoons. Bovendien, al heel wat malen zullen we op onze weg de metersgrote borden gezien hebben die uitschreeuwen dat we zijn 'Vin Fou' moeten drinken.

Na een klein stukje over de drukke N5 rijden we het stadje Poligny binnen. Hierna nadert op km 34 letterlijk een hoogtepunt: bij Plasne bereiken we het hoogste punt van deze route door Frankrijk: we stijgen daar tot boven de 600 meter. We nemen namelijk een stukje van de Jura mee. Dit gebergte vormt de grens tussen Frankrijk en Zwitserland en bestaat uit drie etages. De laagste, de Vignoble genoemd, bestijgen we in een geleidelijke klim van vier kilometer van Poligny naar Plasne. Onder ons zien we Poligny in het dal langzaam kleiner worden.

Eenmaal boven volgen we het plateau met een typisch Jura-landschap: een grootschalig park met uitgestrekte weiden met koeien, afgewisseld met bosjes. De afscheiding tussen de percelen wordt gevormd door gestapelde stenen muurtjes. Dit blijft zo tot we de bovenloop van de Ain naderen.

Poligny: Centrum in een vruchtbaar gebied, bekend om zijn Gruyère kaas en zijn wijn. De stad is een echt streekcentrum, maar bestaat hoofdzakelijk uit één winkelstraat die uitloopt op een gezellig plein met veel horeca. Vanaf de terrasjes zie je dan de dreigende wanden van twee rotsformaties: de Grimont en la Croix du Dan. Langs de flank van de laatste voert de route omhoog. De belangrijkste bezienswaardigheid vormt de kerk: de Collégiale St.Hyppolyte met een schitterende collectie beelden uit de 15e eeuw en de resten van het Clarissenklooster hierachter. Het Hôtel Dieu (ziekenhuis) biedt een beeld van de gezondheidszorg in vroeger eeuwen.

Cirque de Ladoye: Vijftig meter voorbij de kruising van de D96 met de D5 ziet men rechts van de weg een parkeerplaats. Daarachter is een uitzichtpunt aangelegd. Hiervanaf kan men in de diepte het indrukwekkende schouwspel zien: een door kolkend water uitgeslepen diep, trechtervormig keteldal. In Frankrijk noemt men dit verschijnsel: Cirque.

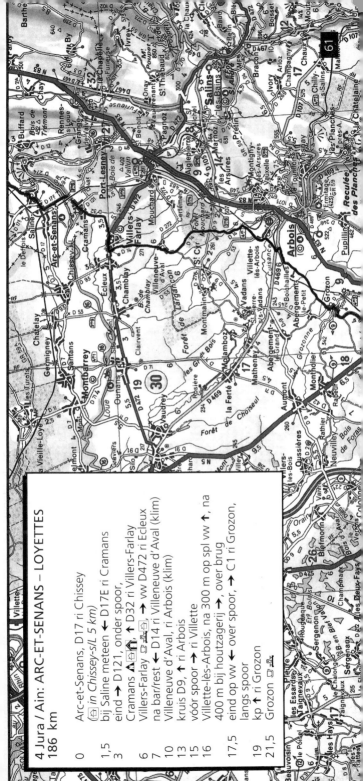

4 Jura / Ain: ARC-ET-SENANS – LOYETTES
186 km

0	Arc-et-Senans, D17 ri Chissey
	🏠 *in Chissey-s/L 5 km)*
1,5	bij Saline meteen ← D17E ri Cramans
3	eind → D121, onder spoor,
	Cramans ▲ 🏠 🏠 ↑ ← D32 ri Villers-Farlay
6	Villers-Farlay ⌂ 🛏 🍴 🏠 → vw D472 ri Ecleux
7	na bar/rest ← D14 ri Villeneuve d'Aval (klim)
10	Villeneuve d'Aval, ri Arbois (klim)
13	kruis D9, ↑ ri Arbois
15	vóór spoor → ri Villette
16	Villette-lès-Arbois, na 300 m op spl vw ↑, na
	400 m bij houtzagerij ↑, over brug
17,5	eind op vw ← over spoor, → C1 ri Grozon,
	langs spoor
19	kp ↑ ri Grozon
21,5	Grozon ⌂ 🛏

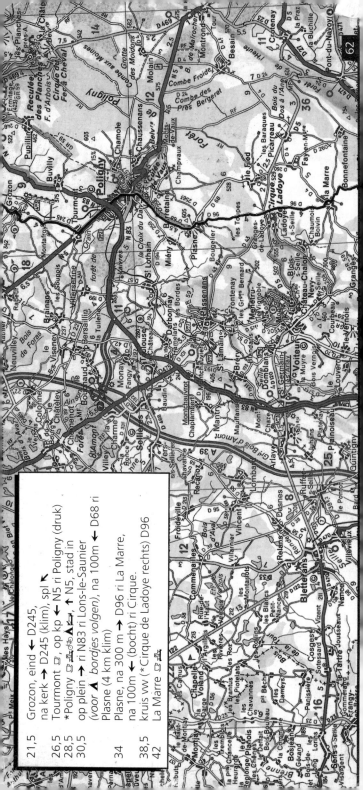

21,5   Grozon, eind ← D245,
       na kerk → D245 (klim), spl ↖
26,5   Tourmont ⌂, op kp ← N5 ri Poligny (druk)
28,5   *Poligny ⌂▵🏛⚓▲🏭, ↑ N5, stad in
30,5   op plein → ri N83 ri Lons-le-Saunier
       (voor ▲ bordjes volgen), na 100m ← D68 ri
       Plasne (4 km klim)
34   Plasne, na 300 m → D96 ri La Marre,
       na 100m ← (bocht) ri Cirque.
38,5   kruis vw (*Cirque de Ladoye rechts) D96
42   La Marre ⌂▵🏛

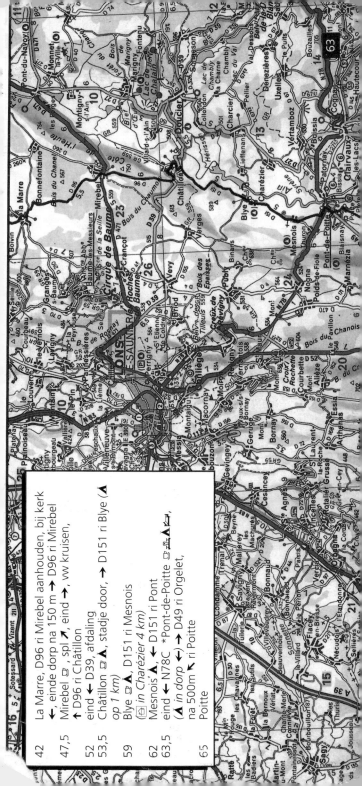

42	La Marre, D96 ri Mirebel aanhouden, bij kerk ←, einde dorp na 150 m → D96 ri Mirebel
47,5	Mirebel ⌂, spl ↗, eind →, vw kruisen, ↑ D96 ri Châtillon
52	eind ← D39, afdaling
53,5	Châtillon ⌂▲, stadje door, → D151 ri Blye (▲ op 1 km)
59	Blye ⌂▲, D151 ri Mesnois (🏠 in Charézier 4 km)
62	Mesnois'▲, ← D151 ri Pont
63,5	eind ← N78C *Pont-de-Poitte ⌂🚉▲🛒, (▲ in dorp ←) → D49 ri Orgelet, na 500m ↙ ri Poitte
65	Poitte

Pont-de-Poitte: Stad met brug over de Ain, die we tot aan de Rhône zullen volgen. Het is hier wat toeristisch en - mede hierdoor - zijn er redelijk veel inkoopmogelijkheden: de bakkersvrouw spreekt zelfs een paar woorden Nederlands en zegt goed verstaanbaar: 'Drie franc zestig', als men zijn baguette wil betalen. Vanaf de brug aan beide zijden mooi uitzicht op de rivier. Aan de noordzijde liggen ruïnes van vroegere waterkracht-benutting. Verder zijn er indrukwekkende kommen in de rotsbodem : de 'marmites des gigants', de kookpotten van de reuzen. Om dit alles te zien, moet men wel laag water treffen. De camping in het centrum is ruim en heeft mooi en schoon sanitair, alleen wordt je in het seizoen nogal door muggen geplaagd, omdat erachter een poel met stilstaand water ligt.

De hoogte heeft zijn bekoring. Zeker nu we de bovenloop van de Ain naderen. We zien deze rivier voor het eerst bij de afdaling naar Châtillon, als we even een pauze maken op de brug erover. Daarna zal ze ons zeker twee dagen gezelschap houden, waarbij we vaak onze fiets aan de kant zullen zetten om te genieten van het uitzicht. De eerste twintig kilometer vanaf Pont-de-Poitte gaan vrij gemakkelijk, meestal zelfs omlaag, maar na La Tour du Meix en vooral na Onoz gaat het gestadig omhoog tot 600 meter. Op de top is het zeker verplicht even af te stappen om de Ain, die dan diep beneden ons ligt, te zien: het is in feite een groot stuwmeer geworden vol blauwgroen water. Voorbij Cernon bereiken we in een grote lus het water en de dam, ook hier is het de moeite waard om eens een kijkje te gaan nemen. Je krijgt dan heel tegenstrijdige gevoelens: het mooie uitzicht van enkele kilometers eerder is mogelijk gemaakt door de betonnen constructie van meer dan 100 meter hoogte en de talloze hoogspanningsmasten en -kabels die het landschap ontsieren. Tot Thoirette volgt de weg de rivier, waarin we zo nu en dan een kleinere dam met centrale aantreffen. Het is een toeristisch gebied, maar niet overdreven druk. Voordeel hiervan is, dat vrijwel alle dorpen die we passeren onderkomen voor de nacht bieden. Thoirette met verschillende hotels en een camping vormt hiervan duidelijk het middelpunt.

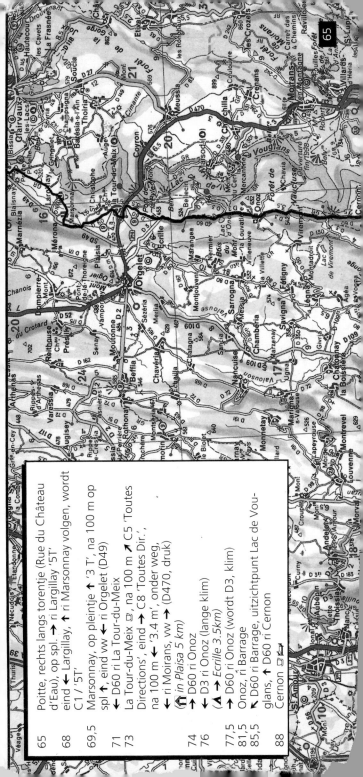

65	Poitte, rechts langs torentje (Rue du Château d'Eau), op spl. → ri Largillay 'ST' eind ← Largillay, ← ri Marsonnay volgen, wordt C1 / 'ST'
69,5	Marsonnay, op pleintje ↑ '3 T', na 100 m op spl ↑, eind vw ← ri Orgelet (D49)
71	← D60 ri La Tour-du-Meix
73	La Tour-du-Meix ⌖, na 100 m ⌿ C5 'Toutes Directions', eind → C8 'Toutes Dir.', na 100 m ↓ '3.4 m', onder weg, ← ri Moirans, vw → (D470, druk) (⌖ in Plaisa 5 km)
74	↑ D60 ri Onoz
76	↓ D3 ri Onoz (lange klim) (⚑ → Ecrille 3.5km)
77,5	↑ D60 ri Onoz (wordt D3, klim)
81,5	Onoz, ri Barrage
85,5	D60 ri Barrage, uitzichtpunt Lac de Vou-glans, ↑ D60 ri Cernon
88	Cernon ⌖⛽

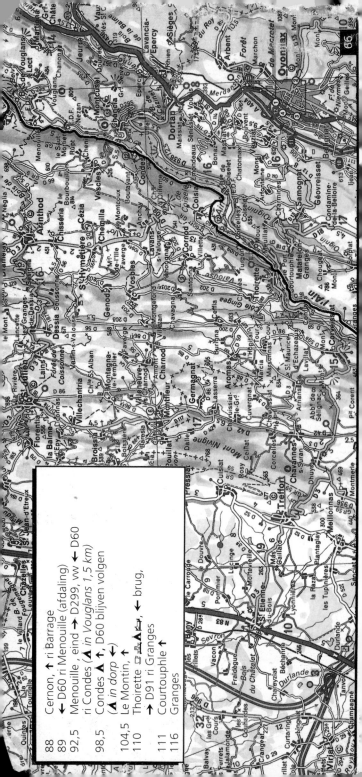

88	Cernon, ↑ ri Barrage
89	← D60 ri Menouille (afdaling)
92,5	Menouille , eind → D299, vw ← D60 ri Condes (▲ in Vouglans 1,5 km)
98,5	Condes ▲ ↑, D60 blijven volgen (▲ in dorp ↓)
104,5	Le Montin, ↑
110	Thoirette ☰☲↓▲☲↓, ← brug,
	→ D91 ri Granges
111	Courtouphle ↑
116	Granges

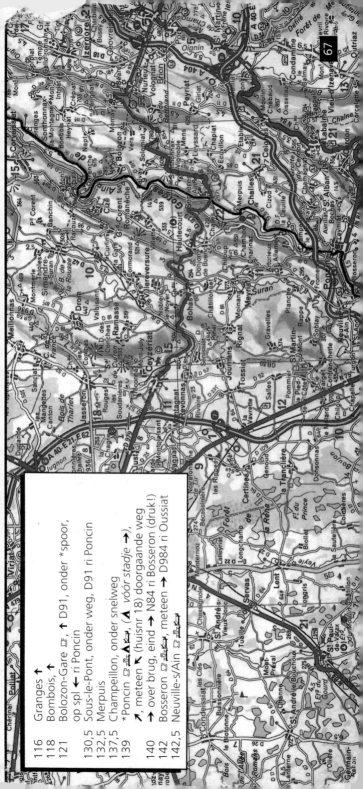

116	Granges ↑
118	Bombois, ↑
121	Bolozon-Gare 🚉, ↑ D91, onder *spoor, op spl ← ri Poncin
130,5	Sous-le-Pont, onder weg, D91 ri Poncin
132,5	Merpuis
137,5	Champeillon, onder snelweg
139	*Poncin 🚉🏕️🔺⛽ (▲ vóór stadje →), ↗, meteen ↖ (huisnr 18) doorgaande weg → over brug, eind → N84 ri Bosseron (druk!)
140	
142	Bosseron 🚉⛽, meteen → D984 ri Oussiat
142,5	Neuville-s/Ain 🚉🕌

Hauterives, Palais Idéal

Km 121: Imposante dubbele boogbrug over de Ain, spoor- en verkeersbrug boven elkaar!

Poncin: Een heel aardig, oud centrum met leuk plein, heel geschikt om in te kopen voor de lunch of om er anderszins een pauze te nemen.

St.Maurice-de-Remens: Pittoresk dorp, geboorte- en woonplaats van de bekende vlieger-schrijver De Saint-Exupéry. Hij is vooral bekend geworden door zijn autobiografische "Le petit prince" en door de wijze waarop hij in het begin van de tweede wereldoorlog op raadselachtige wijze met zijn vliegtuig is verdwenen. Op de route, juist in de klim aan het eind van het dorp, ligt het Château, zijn geboortehuis. Het is nogal vervallen.

St.Maurice-de-Gourdans: Dit dorp, bezijden de route, bezit de laatste camping voor de brug over de Rhône in Loyettes. Het is een oud dorp met een heel mooi gerestaureerde Romaanse kerk uit de 12e eeuw. De deur staat altijd open en even naar binnen om de sfeer te proeven betekent geen tijdverlies. Een lichtknop maakt het schoons (o.a. middeleeuwse fresco's) voor een minuutje zichtbaar. Een tip voor de liefhebber van middeleeuwse bouwkunst en – ook zonder overnachting op de camping – een omweg waard.

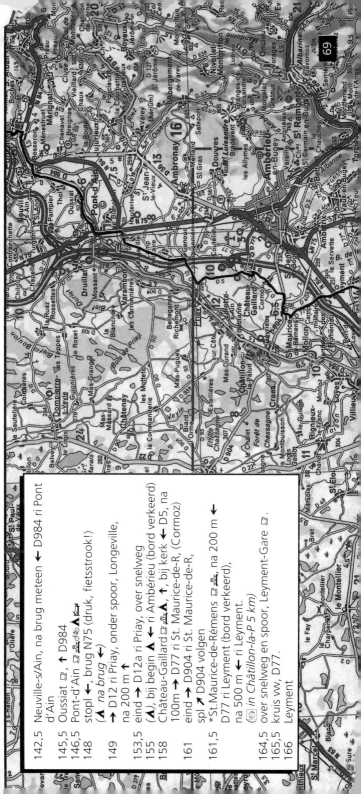

142,5	Neuville-s/Ain, na brug meten ← D984 ri Pont d'Ain
145,5	Oussiat ⌂, ↑ D984
146,5	Pont-d'Ain ⌂ 🚲🏪⛽🅿️▲←
148	stopl ←, brug N75 (druk, fietsstrook!) (▲ na brug →)
149	→ D12 ri Priay, onder spoor, Longeville, na 200 m ↑
153,5	eind → D12a ri Priay, over snelweg
155	(▲), bij ongen ▲ ← ri Ambérieu (bord verkeerd)
158	Château-Gaillard ⌂▲🚲▲, ↑, bij kerk ← D5, na 100m → D77 ri St. Maurice-de-R., (Cormoz)
161	eind → D904 ri St. Maurice-de-R., spl ↗ D904 volgen
161,5	*St.Maurice-de-Rémens ⌂🚲, na 200 m ↓ D77 ri Leyment (bord verkeerd), na 500 m ← ri Leyment. (🏕️ in Châtillon-la-P 5 km)
164,5	over snelweg en spoor, Leyment-Gare ⌂.
165,5	kruis vw, D77.
166	Leyment

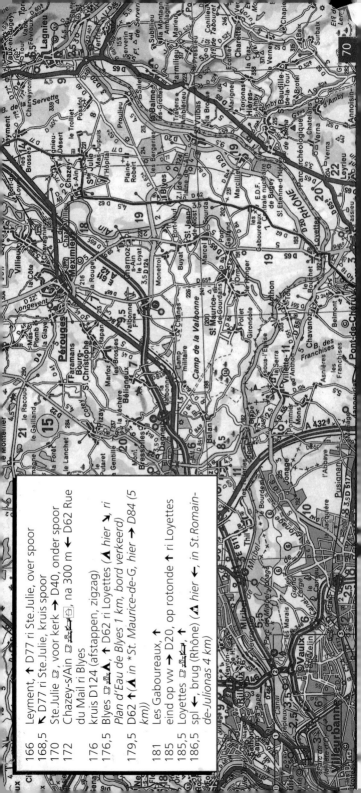

166	Leyment, ↑ D77 ri Ste.Julie, over spoor
168,5	↖ D77 ri Ste.Julie, kruis spoor
170	Ste.Julie ⌖, voor kerk → D40, onder spoor
172	Chazey-s/Ain ⌖🚲⛽, na 300 m ← D62 Rue du Mail ri Blyes
176	kruis D124 (afstappen, zigzag)
176,5	Blyes ⌖🚲▲, ↑ D62 ri Loyettes (▲ hier ↘, ri Plan d'Eau de Blyes 1 km, bord verkeerd)
179,5	D62 ↑(▲ in *St. Maurice-de-G, hier → D84 (5 km))
181	Les Gaboureaux, ↑
185	eind op vw → D20, op rotonde ↑ ri Loyettes
185,5	Loyettes ⌖🚲⛽, ↑
186,5	spl ←, brug (Rhône) (▲ hier ↘, in St.Romain-de-Julionas 4 km)

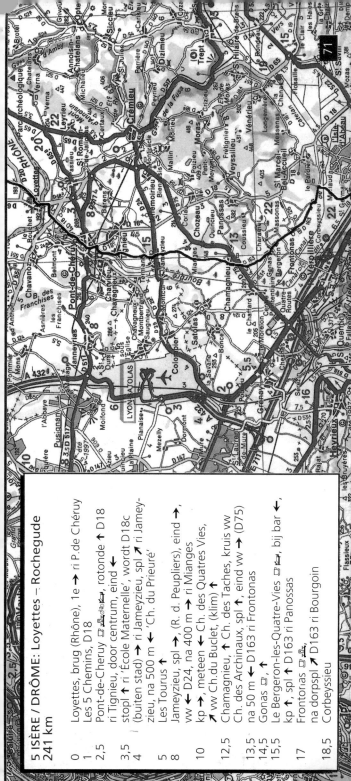

5 ISÈRE / DRÔME: Loyettes – Rochegude
241 km

0	Loyettes, brug (Rhône), 1e → ri P.de Cheruy
1	Les 5 Chemins, D18
2,5	Pont-de-Cheruy 🚉⛽🏪, rotonde ↑ D18 ri Tignieu, door centrum, eind ↓
3,5	stopl ↑ ri 'École Maternelle', wordt D18c
4	(buiten stad) → ri Jameyzieu, spl ↗ ri Jameyzieu, na 500 m ↓ 'Ch. du Prieuré'
5	Les Tourus ↑
8	Jameyzieu, spl ↑, (R. d. Peupliers), eind →, vw ↓ D24, na 400 m → ri Mianges
10	kp ↑, meteen → Ch. des Quatres Vies, ↗ vw Ch.du Buclet, (klim) ↑
12,5	Chamagnieu, ↑ Ch. des Taches, kruis vw Ch. des Archinaux, spl ↑, eind vw → (D75)
13,5	na 50 m ↓ D163 ri Frontonas
14,5	Gonas 🚉, ↓
15,5	Le Bergeron-les-Quatre-Vies 🚉🍴, bij bar ↓, kp ↑, spl ↑ D163 ri Panossas
17	Frontorias 🚉🍴, na dorpspl ↗ D163 ri Bourgoin
18,5	Corbeyssieu

5 Isère/Drôme: Loyettes – Rochegude 241 km

Deze etappe begint met het oversteken van de Rhône. Hiermee komen we in de 'Dauphiné de la plaine et des collines' = 'van de (Rhône)vlakte en de heuvels'. Dit gebied is de poort voor zuidelijk Frankrijk. Uitzonderingen daargelaten is het slechte weer nu voorbij: de regenkansen zijn hier aanzienlijk kleiner. Even een weerpraatje: tot nu toe reden we steeds westelijk van de gebergten Vogezen en Jura. Westenwinden stijgen tegen deze hellingen op en koelen daarbij af. Hierdoor condenseert het vocht in de lucht en valt als regen naar beneden. Dit houdt in, dat het aan de oostkant van de bergen veel droger is, zoals hier nu met het Massif Central ten westen van ons: we bevinden ons thans in, wat men noemt, de regenschaduw van dit gebergte. Iets anders is het met de zogeheten Mistral. Dit woord is provençaals voor 'Mijnheer' en wordt met enige eerbied uitgesproken. Het is namelijk een harde, gierende, koude wind die van noord naar zuid door het Rhônedal blaast en die het leven van de bewoners sterk beïnvloedt. De Mistral ontstaat als een hogedrukgebied zich van west naar oost verplaatst richting Alpen. Het lagedrukgebied boven de hete Provence en de Middellandse Zee doet vanaf het gebergte een zeer koude luchtstroom ontstaan. Tijdens een Mistral is zelfs hartje zomer nachtvorst mogelijk en de tintelende kou zorgt er voor dat ook bij stralende zon de trui niet uit kan. Twee voordelen heeft de Mistral: het is ongekend helder - het uitzicht is fantastisch - en de wind

blaast de fietser in grote vaart en bijna moeiteloos naar het zuiden! De Mistral is hét onderwerp van gesprek in het Rhônedal en een goede entree om een praatje te beginnen: iedereen kent wel bijzonderheden, want deze wind is erg onberekenbaar. Men zegt bijvoorbeeld, dat hij één, drie of vijf dagen aanhoudt. Met andere woorden: als hij waait kan het nog wel even duren. Een ander verhaal is de "Vent du Midi", een stormachtige wind uit het zuidwesten. Deze kan de fietser danig in de wielen rijden!

Aan de overzijde van de rivier kruist de route eerst nog kilometers het immens brede Rhônedal, dus vlak en tussen schier eindeloze maïs- en zonnebloemvelden door. Daarna wordt het terrein meer geaccidenteerd en volgen enkele flinke stijgingen en dalingen. Al met al een vrij zwaar en lang stuk en door de uitlopers van de Dauphiné nogal bergachtig dus. Vóór Faramans dalen we af in een zeer breed dal, kenmerkend voor een vroegere gletscherstroom. Voor ons betekent dit een flink stuk vlakke weg.

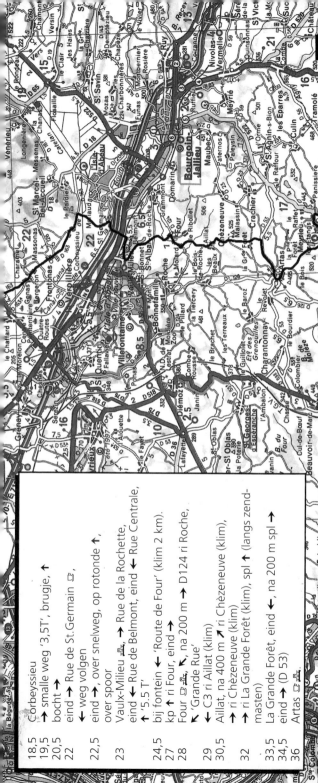

18,5	Corbeyssieu
19,5	→ smalle weg '3,5T', brugje, ← bocht ↑
20,5	eind → Rue de St.Germain ⌸, ← weg volgen
22	
22,5	eind ↑, over snelweg, op rotonde ↑, over spoor
23	Vaulx-Milieu 🏠, → Rue de la Rochette, eind ↓ Rue de Belmont, eind ← Rue Centrale, ↑ '5,5 T'
24,5	bij fontein ← 'Route de Four' (klim 2 km).
27	kp ← ri Four, eind →
28	Four ⌸ 🏠, ↙, na 200 m → D124 ri Roche, ↙ 'Grande Rue'
29	↓ C3 ri Aillat (klim)
30,5	Aillat, na 400 m ↗ ri Chèzeneuve (klim), ↑ ri Chèzeneuve (klim)
32	↑ ri La Grande Forêt (klim), spl ↑ (langs zendmasten)
33,5	La Grande Forêt, eind ←, na 200 m spl ↑
34,5	eind → (D 53)
36	Artas ⌸ 🏠.

Faramans: De weg laat het hooggelegen centrum 'rechts' liggen. Als men op de camping staat is een avondwandelingetje naar boven aan te bevelen, ook al zijn er geen echte bezienswaardigheden. De vrij nieuwe camping ligt voorbij het dorp en heeft goede voorzieningen. Faramans is duidelijk bezig zich op te stoten in de vaart der volkeren door een infrastructuur te bieden voor frisse lucht verlangende stadbewoners: vakantie-huisjes, golfen, vissen, paardrijden.

Zeven kilometer vlak en wat vals plat voor we in Marcilloles het einde van het gletscherdal bereiken, maar dan begint een klim van acht kilometer, waarbij we voor een groot deel door het bos gaan. We passeren een groot militair oefenterrein en een heuse schietbaan. We klimmen heel geleidelijk van 350 naar 500 meter en worden aan het eind beloond met een prachtig uitzicht. Daarna enkele kilometers naar beneden, maar voorbij Hauterives gaat het weer omhoog. Na deze bergbrug van le-Grand-Serre veranderen de dorpen van aanzien: het wordt echt zuidelijk.
De weg daalt tot in St.Donat en verder nog tot Romans in het rivierdal van de Isère.

Hauterives: Dit plaatsje van 1100 inwoners is vooral bekend geworden door de fantasierijke postbode Cheval (1836 - 1924), die er zijn Palais-Idéal bouwde. Voor het creëren van zijn grillige paleis (26 m lang, 12 m breed en 8 à 10 m hoog) had hij 33 jaar nodig. Zo ontstond een mengeling van feodaal kasteel, Indische tempel, moskee en Zwitsers Châlet. Het staat op de monumentenlijst en is m.u.v. januari en Kerstmis dagelijks te bezichtigen. Beslist doen!

St.Donat-sur-l'Herbasse: Deze zeer oude plaats bezit een bezienswaardige kerk 'La Collégiale' met een beroemd orgel. Hierop worden veel orgelconcerten gegeven: misschien treft u een organist in training! Bij de kerk een halfronde kapel van St.Michel.

Na een korte klim zet de afdaling zich voort tot Romans, dat een tweelingstad vormt met Bourg-de-Péage aan de overzijde van de Isère. Er wordt in deze streek veel gedaan om het toerisme te bevorderen (golfvelden!). Na Romans zien we links van ons nogal fikse bergruggen opdoemen die tot boven de 1000 meter stijgen, het is de Vercors. Niet bevreesd, we laten ze letterlijk links liggen en volgen een stille weg langs een waterloze en stenenrijke bedding. Even stil is de D102 die ons door een paar onaanzienlijke dorpjes langs de eerste lavendelvelden voert naar de drukke plaats Chabeuil.

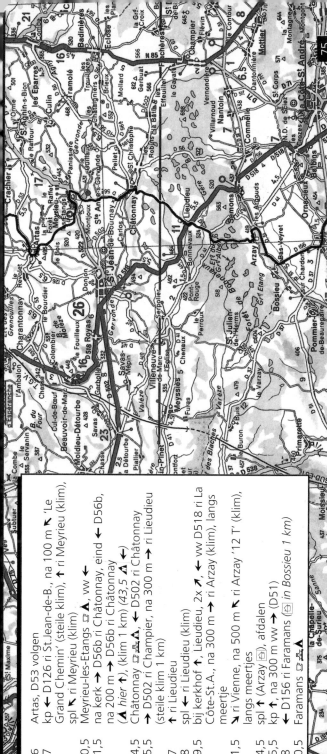

36	Artas, D53 volgen
37	kp ← D126 ri St.Jean-de-B., na 100 m ↖ 'Le Grand Chemin' (steile klim), ↑ ri Meyrieu (klim), spl ↖ ri Meyrieu (klim)
40,5	Meyrieu-les-Etangs ☺▲, vw ←
41,5	na kerk → D56b ri Châtonnay, eind ← D56b, na 200 m → D56b ri Châtonnay (▲ hier ↑), (klim 1 km) (43,5 ▲ ←)
44,5	Châtonnay ☺▲, ← D502 ri Châtonnay
45,5	→ D502 ri Champier, na 300 m → ri Lieudieu (steile klim 1 km)
47	↑ ri Lieudieu
48	spl ← ri Lieudieu (klim)
49,5	bij kerkhof ↑, Lieudieu, 2x ↗, ← vw D518 ri La Côte-St.A., na 300 m → ri Arzay (klim), langs meertje
51,5	↘ ri Vienne, na 500 m ↖ ri Arzay '12 T' (klim), langs meertjes
54,5	spl ↑ (Arzay) ☺, afdalen
55,5	kp ↑, na 300 m vw → (D51)
58	← D156 ri Faramans (☺ in Bossieu 1 km)
60,5	Faramans ☺▲

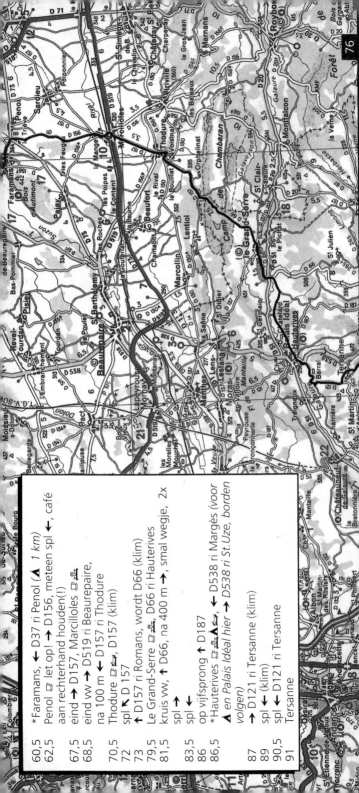

60,5	*Faramans, ← D37 ri Penol (⚑ 1 km)
62,5	Penol ⌖ let op! ↑ D156, meteen spl ←, café aan rechterhand houden(!)
67,5	eind → D157, Marcilloles ⌖ 🍴
68,5	eind vw → D519 ri Beaurepaire, na 100 m ← D157 ri Thodure
70,5	Thodure ⌖ 🍴, D157 (klim)
72	spl ↖ D 157
73	↑ D157 ri Romans, wordt D66 (klim)
79,5	Le Grand-Serre ⌖ 🍴, D66 ri Hauterives
81,5	kruis vw, ← D66, na 400 m →, smal wegje, 2x
83,5	spl ↑
86	spl ↑ op vijfsprong ↑ D187
86,5	*Hauterives ⌖ 🍴⚑, ← D538 ri Margès (voor ⚑ en Palais Idéal hier → D538 ri St. Uze, borden volgen)
87	→ D121 ri Tersanne (klim)
89	spl ← (klim)
90,5	spl ← D121 ri Tersanne
91	Tersanne

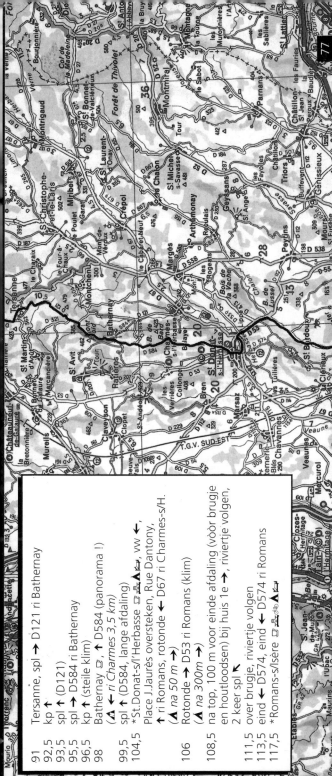

91	Tersanne, spl → D121 ri Bathernay
92,5	kp ↑
93,5	spl ↑ (D121)
95,5	spl → D584 ri Bathernay
96,5	kp ↑ (steile klim)
98	Bathernay ⌷, ↑ D584 (panorama !) (▲ ← ri Charmes 3,5 km)
99,5	spl ↑ (D584, lange afdaling)
104,5	*St.Donat-s/l'Herbasse ⌷ ⛽ ♨ ▲ ⛺ ←, vw ←, Place J.Jaurès oversteken, Rue Dantony, ↑ ri Romans, rotonde ← D67 ri Charmes-s/H. (▲ na 50 m →)
106	Rotonde → D53 ri Romans (klim) (▲ na 300m →)
108,5	na top, 100 m voor einde afdaling (vòòr brugje en houtloodsen) bij huis 1e →, riviertje volgen, 2 keer spl ↖
111,5	over brugje, riviertje volgen
113,5	eind ← D574, eind ← D574 ri Romans
117,5	*Romans-s/Isère ⌷ ⛽ ♨ ⛊ ▲ ⛺

Romans-sur-Isère: De belangrijkste bezienswaardigheid van Romans is de kerk, de Collégiale St.Barnard met een verzameling van negen beroemde wandtapijten. Van de rivier af gezien achter deze kerk ligt de oude stad. Even hier pauzeren en de sfeer van de oude straatjes op je laten inwerken. Op zondagmorgen is hier een gezellige markt Een belangrijke bron van inkomsten van deze stad vormen de schoenfabrieken. Hieraan is ook een museum gewijd. De camping van Romans ligt 5 km noord-oostelijk van de stad bij een rustig vliegveldje.

Bourg-de-Péage: Na het oversteken van de Isère komt men in Bourg-de-Péage, wat moderner van uiterlijk en met veel inkoopmogelijkheden. De naam wijst erop, dat er vroeger voor het oversteken van de rivier betaald moest worden.

Crest: Tot Crest kwam op deze tocht de natuurliefhebber het meest aan zijn trekken. De route verliep steeds over stil platteland waar de cultuurliefhebber niet veel van zijn gading kon vinden, een enkele plaats uitgezonderd. Vanaf hier gaat dit veranderen: de natuur krijgt steeds meer mediterrane trekken en de resten van een rijk verleden aan bewoning springen steeds meer in het oog. De voornaamste bezienswaardigheid is de Donjon uit 1217, het restant van een grote vesting die op bevel van Lodewijk de XIII ontmanteld is. Van binnen is niet veel te zien (alleen een wapenverzameling). De vele cellen herinneren eraan, dat het bouwwerk tot eind vorige eeuw dienst gedaan heeft als gevangenis. Veel interessanter is het uitzicht dat men vanaf het bovenste terras heeft. De stad ligt heel aantrekkelijk langs de rivier en over de brug kan men vanaf een terrasje genieten van een prachtig uitzicht op de donjon: een plaatje waard. Een stadwandeling kan ook omhoog leiden naar punten waar men kan genieten van een zeer weids uitzicht: op uitlopers van de Vercors, op de Voor-Alpen van Dios de Trois Becs, op het woud van Saoù, op de Rhône-vallei en op de bergen van de Ardeche daarachter. De camping ligt over de brug links. Wie minder van drukte houdt moet even doorfietsen naar Saoù.

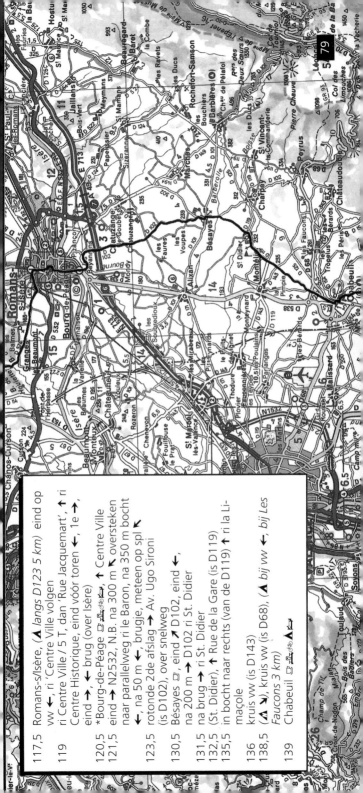

117,5 Romans-s/Isère, (▲ *langs D123 5 km*) eind op vw ←, ri 'Centre Ville volgen

119 ri Centre Ville / 5 T, dan 'Rue Jacquemart', ↑ ri Centre Historique, eind vóór toren ←, 1e →, eind ↑, ← brug (over Isère)

120,5 *Bourg-de-Péage ⌷🚲♨, ↑ Centre Ville

121,5 eind → N2532, N.B. na 300 m ↖ oversteken naar parallelweg ri le Baron, na 350 m bocht ←, na 50 m ↖, brugje, meteen op spl ↖

123,5 rotonde 2de afslag → Av. Ugo Sironi (is D102), over snelweg

130,5 Bésayes ⌷, eind ↗ D102, eind ↓, na 200 m → D102 ri St. Didier

131,5 na brug → ri St. Didier

132,5 (St. Didier), ← Rue de la Gare (is D119)

135,5 in bocht naar rechts (van de D119) ↑ ri la Limaçole

136 kruis vw (is D143)

138,5 (▲), kruis vw (is D68), (▲ *bij vw ←, bij Les Faucons 3 km*)

139 Chabeuil ⌷🚲♨▲

139	Chabeuil, ↑ ri Centre Ville
140	in centrum, eind ←, brug, vóór poort ↑, na 50m bij groene paaltjes ↖ ri Barcelonne, eind → ri Barcelonne, ↙, → ri 'La Luire', langs 'La Luire'
141,5	Claveton, →
142,5	Montvendre ☎ ⚕ ⛽, tussen kerk en park ↑
144	← D208a ri La Baume-Cornillane, na 300 m ↖ D208a (bordjes 'S25 la Drôme à Vélo' tot Vaunaveys) (enige korte venijnige klimmen)
150	La B-Cornillane ☎, spl ← ri Ourches (D745)
150,5	brug ↑, 'La Dr. à Vélo'
152	eind ↑, weg volgen (s-bochtje), kruis vw
154	eind ←, na oorlogsmonument bij spl ↗, over brugje
155,5	→ ri Vaunaveys
156,5	Vaunaveys-la-Rochette ☎, kerkhof ↗, bij kasteelmuur →, meteen ← D533
157	eind ←, brugje
157,5	na bassins meteen ← (landwegje)
158,5	eind vw ← D538 (druk!)
161	rotonde → D93 ri Crest-Centre
161,5	*Crest ▲

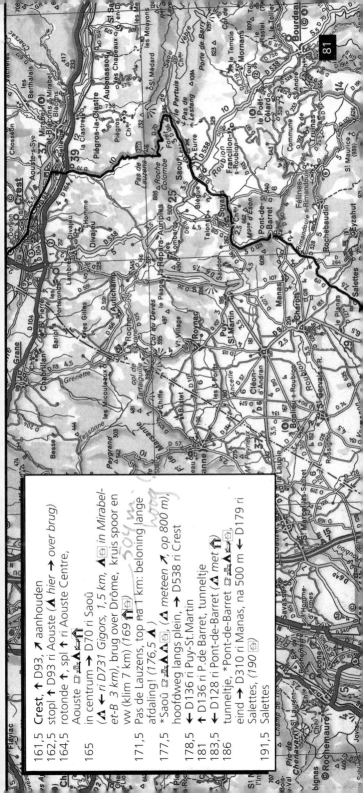

161,5 **Crest**, ↑ D93, ↗ aanhouden
162,5 stopl ↑ D93 ri Aouste (▲ hier → over brug)
164,5 rotonde ↑, spl ↑ ri Aouste Centre, Aouste 🛒⛽🏕▲⛴🏠
165 in centrum → D70 ri Saoû (▲← ri D731 Gigors, 1,5 km, ▲⛴ in Mirabel-et-B 3 km), brug over Drôme, kruis spoor en vw (klim 7 km) (169 🏠⛴)
171,5 Pas de Lauzens, top na 1 km: beloning lange afdaling! (176,5 ▲)
177,5 *Saoû 🛒⛽▲▲⛴ (▲ meteen ↗ op 800 m), hoofdweg langs plein, → D538 ri Crest
178,5 ← D136 ri Puy-St.Martin
181 ↑ D136 ri P.de Barret, tunneltje
183,5 ← D128 ri Pont-de-Barret (▲ met 🏠)
186 tunneltje, *Pont-de-Barret 🛒⛽▲⛴⛴, eind → D310 ri Manas, na 500 m ← D179 ri Salettes, (190 ⛴)
191,5 Salettes

De camping municipal ligt 1 km vóór het dorp aan een riviertje. Aan de rand van het dorp nog een "aire naturelle" in een oude olijfboomgaard. Verder kunnen we ook naar Soyans fietsen of lopen. Het heeft een mooie Vieux Village en een museum gewijd aan het ei!

Pont-de-Barret: Heel onverwacht in een bijna onbewoond landschap is men er middenin: het dorp duikt op als we het tunneltje passeren. Tegen lunchtijd is de bakker welkom, maar het is moeilijk de verleiding te weerstaan om gebruik te maken van één van de restaurants die met elkaar wedijveren om klanten het goedkoopste menu aan te prijzen en een aangename atmosfeer te creëren. Heel wat mensen weten rond het middaguur dit dorp te vinden.

Taulignan: Een middeleeuws plaatsje met een oude kern omgeven door 11 torens. We rijden, nieuwsgierig gadegeslagen door Franse poezen, dwars door het centrum en kunnen genieten van steegjes, trapjes en vele bloemen. In het centrum een oude Romaanse kerk.

Vanuit Crest volgen we nog even de Drôme. We steken deze over bij een mooie rustplaats. Maar voor deze rust moet betaald worden met een klim naar het woud van Saoû. Dit ligt ingeklemd in een ronde, klone rotspartij, een zgn. Plooirots tussen de 1000 en 1400 meter hoog. Zo hoog voert onze weg niet: de romantische Pas de Lauzens ligt op 400 m. Dit is een smalle doorgang. Een kilometer verder begint het woud. Hiervandaan dalen we af naar het stille plaatsje Saoû. Vóór Pont-de-Barret gaat het door een vrij nauw dal met links een stroom met bleekblauw water dat vers uit de bergen komt. De weg voert door enkele tunneltjes! Het dorp zelf is schilderachtig genoeg voor een foto. Hiervandaan gaat de weg golvend onder langs Vieux Village en het Château van la Bégude-de-Mazenc. (Liefhebbers van enig klimwerk rijden bij *km 194,5 via dit Château naar La Bégude). Verderop wacht ons nog een onaangename verrassing, vooral in de middaghitte: de 7 kilometer lange klim van la Bégude naar Aleyrac. Neem hier de tijd voor en ga gerust een stukje te voet: even voorbij Aleyrac gaat het aan één stuk door bergaf naar Taulignan!

Saoû en Soyans: Saoû is een geschikte plaats voor een rustdag en/of om iets heel anders te doen. De bergen rond dit plaatsje lenen zich uitstekend voor wandelingen en fraaie uitzichten. We kunnen ook kijken naar halsbrekende klimpartijen: de Escalades. In het woud woonden vroeger Hugenoten, protestanten die gevlucht waren voor de inquisitie. Saoû zelf heeft een aardig Provençaals pleintje.

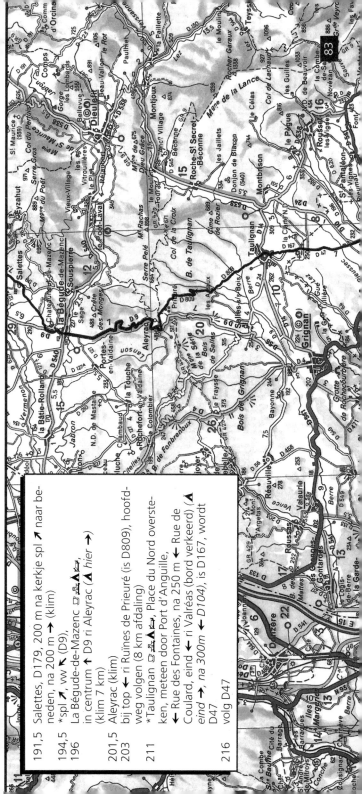

191,5	Salettes, D179, 200 m na kerkje spl ↗ naar beneden, na 200 m → (klim)
194,5	*spl ↗, vw ↖ (D9),
196	La Bégude-de-Mazenc 🏪🅿️⛽▲☕, in centrum ↑ D9 ri Aleyrac (▲ hier →) (klim 7 km)
201,5	Aleyrac (klim)
203	bij top ← ri Ruïnes de Prieuré (is D809), hoofdweg volgen (8 km afdaling)
211	*Taulignan 🏪🅿️⛽▲☕, Place du Nord oversteken, meteen door Port d'Anguille, ← Rue des Fontaines, na 250 m ← Rue de Coulard, eind ← ri Valréas (bord verkeerd) (▲ eind →, na 300m ← D104), is D167, wordt D47
216	volg D47

Valréas: Overal bij Valréas ziet men borden met daarop 'Enclave des Papes'. Stad en omgeving zijn eigendom van de paus geweest in de tijd, dat hij resideerde in Avignon (meer hierover bij 'Avignon'). Bestuurlijk behoort Valréas dan ook tot het departement Vaucluse, evenals Avignon, en niet tot Drôme waar het midden in ligt. Dit verklaart de naam: "enclave van de paus", al heeft deze goede man hier al honderden jaren niets meer te vertellen. De stad is zeer oud en is ontstaan langs de Coronne. Ze ligt op een heuvel in een vruchtbaar dal. Bezienswaardig zijn het stadhuis met zijn indrukwekkende façade en de kerk van Notre-Dame-de-Nazareth, Romaanse stijl met een bijzonder barokorgel. Tegenover de kerk, achter een ijzeren hekwerk, staat nog de mooie kapel des Pénitents Blancs. Voorts vindt men in de oude stad (vanaf de brug rechts van de hoofdstraat) een aantal prachtige oude woonhuizen. De wijnen van de 'Enclave des Papes' zijn van buitengewoon goede kwaliteit, maar in Nederland vrijwel onbekend in tegenstelling tot die van een wijngebied verderop: de 'Châteauneuf-du-Pape'

Via rustige wegen komen we in Suze-la-Rousse. Vandaar nog twee klimmetjes en vanaf La Garde-Paréol dalen we af naar Orange. De route voert tussen de wijnvelden door. In Rochegude vindt de "scheiding der geesten" plaats. Wie zich gericht heeft op Orange, Aignon, Arles en Stes.Maries-de-la-Mer, de hoofdroute dus, wendt zich hier naar het zuiden, de anderen kiezen het langere alternatief richting Narbonne westwaarts.

Richerenches: Richerenches is een, door de Tempeliers gestichte, oude commanderij, waarvan de muren met hoektorens bewaard zijn gebleven. Een rechthoekig Belfort (klokkentoren) vormt de ingang. Verder zijn in het stadje mooie geveltjes en een tempelruïne te bewonderen. Culinaire fijnproevers kunnen op de truffelmarkt hun hart ophalen.

Suze-la-Rousse: Suze-la-Rousse wordt gedomineerd door het robuuste Château Féodal uit de 12e- tot 14e eeuw, een compact en goed bewaard gebleven vesting, die nog een periode in het bezit geweest is van de prinsen van Oranje. Let op de mooie renaissance gevels aan de binnenplaats. Het kasteel is nu vooral bekend door de Université du Vin, uniek in Europa en… open voor publiek! In juli en augustus wordt er een muziekfestival gehouden. In het historische stadje zelf is de laatgotische gevel van het stadhuis zeer de moeite waard. Uiteraard ontbreekt de wijnkelder niet.

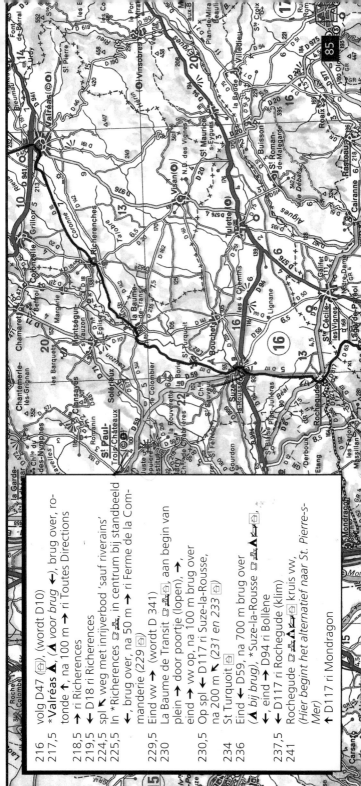

85

216   volg D47 (⊕), (wordt D10)
217,5 *Valréas ⚠️, (⚠️ voor brug ←), brug over, ro-
       tonde ↑, na 100 m → ri Toutes Directions

218,5 ↑ ri Richerences
219,5 ← D18 ri Richerences
224,5 spl ↙ weg met inrijverbod 'sauf riverains'
225,5 In *Richerences ☞🚲⛵, in centrum bij standbeeld
       ←, brug over, na 50 m → ri Ferme de la Com-
       manderie (229 ⊕)

229,5 Eind vw → (wordt D 341)
230   La Baume de Transit ☞🚲⛵⊕, aan begin van
       plein → door poortje (lopen), →,
       eind → vw op, na 100 m brug over

230,5 Op spl ← D117 ri Suze-la-Rousse,
       na 200 m ↖ (231 en 233 ⊕)

234   St Turquoit ⊕
236   Eind ← D59, na 700 m brug over
       (⚠️ bij brug), *Suze-la-Rousse ☞🚲⛵⚠️🏛⊕,
       ←, eind → D94 ri Bollène

237,5 ← D117 ri Rochegude (klim)
241   Rochegude ☞🚲⛵⚠️🏛⊕ kruis vw,
       (Hier begint het alternatief naar St. Pierre-s-
       Mer)

       ↑ D117 ri Mondragon

6. Provence/Camargue: Rochegude – Stes.Maries-de-la-Mer 146 km

De hoofdroute passeert de stad Orange langs de camping en komt bij het oude vestingplaatsje Caderousse aan de Rhône. Daarvóór is een bezoekje aan Orange wel de moeite waard.
In feite is het verkeer in deze streek erg druk. Dit geldt bijvoorbeeld bij de brug over de Rhône bij Roquemaure. Vele werknemers van de fabrieken kiezen dit stadje uit voor hun lunchpauze. Rond die tijd een moordende drukte dus. Maar al heel snel vergeten we dit en rijden we over secundaire wegen naar de brug en de stuw over de Rhône. Aan de overzijde voert een brede, vlakke en stille dijk langs meerdere campings naar Avignon. Wie een of meer dagen wil uittrekken om deze stad te bezoeken kan het beste de laatste kiezen (juist vóór de brug), dan kan men de stad te voet bekijken.

Orange: Historisch een belangrijke stad, zowel wat haar Keltische en Romeinse oorsprong als wat de bakermat van ons vorstenhuis betreft. De stad behoorde in de middeleeuwen aan het geslacht van Baux, maar kwam in 1544 aan Willem van Oranje. De van oorsprong Keltische vestiging Arausio werd in 35 v.Chr. door keizer Augustus uitgebouwd tot een groot veteranencentrum voor zijn gepensioneerde militairen. "Onze" Prins Maurits liet in 1620 deze plaats verbouwen tot een "moderne" vesting en ook een groot paleis aanleggen voor zichzelf. Hij liet hiervoor tal van Romeinse gebouwen slopen en gebruikte de stenen ervan. Daardoor zijn er aan klassieke resten nu alleen nog over: het theater en de triomfboog. Tijdens een oorlog met de Nederlanden liet Lodewijk XIV de stad innemen en ontmantelen en het paleis verwoesten. Bij de vrede (Unie van Utrecht 1713) kwam dit bezit van Oranje definitief aan Frankrijk.

Oud Orange is mooi opgeknapt: Een uitgestrekt voetgangersgebied rond een plein - de Place de la Republique - met veel terrasjes onder platanen: hier kun je Zuid-Frankrijk proeven!

Uit de Romeinse tijd stammen nog het theater (49 v.Chr.), dat er na 2000 jaar nog heel gaaf uitziet. Vanaf de heuvel Colline St.Eutrope is het uitzicht hierop en op de Mont Ventoux schitterend. Ook de Romeinse triomfboog en de Romaanse kathedraal zijn een bezoekje waard. In het Gemeentelijk Museum zijn tal van vondsten uit het verleden uitgestald. Het theater wordt bekroond met een standbeeld van keizer Augustus, de triomfboog is bekleed met oorlogsscènes uit de Gallische oorlog van Julius Caesar.

Roquemaure: Roquemaure betekent letterlijk: Moorse rots. Aan deze rots heeft deze stad zijn naam te danken. Het 'Moorse' er van herinnert aan de tijd, dat dit gebied grens was tussen het islamitische Moorse (= Noord-Afrikaanse) Iberische schiereiland en het christelijke West-Europa. Tijdens Karel de Grote (800) is deze grens naar achter de Pyreneeën verschoven. Het is er goed toeven voor een lunch aan een gedekte tafel in de schaduw.

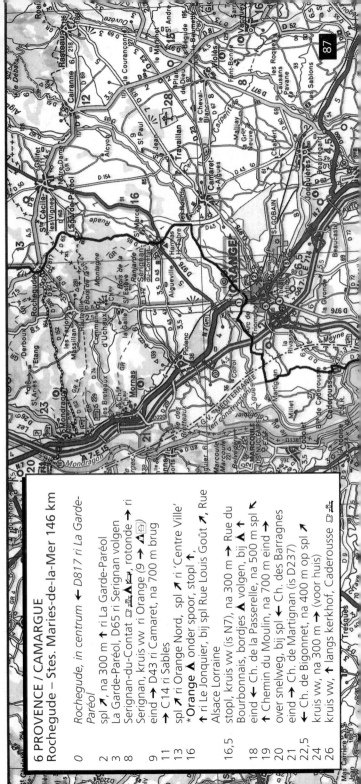

6 PROVENCE / CAMARGUE
Rochegude – Stes. Maries-de-la-Mer 146 km

km	
0	*Rochegude, in centrum* ← D817 ri La Garde-Paréol
2	spl ↗, na 300 m ↑ ri La Garde-Paréol
3	La Garde-Paréol, D65 ri Serignan volgen
8	Serignan-du-Contat ☐☒▲⚐, rotonde → ri
9	Serignan, kruis vw ri Orange (9 → ▲⚐)
	eind → D43 ri Camaret, na 700 m brug
11	→ C14 ri Sables
13	spl ↗ ri Orange Nord, spl ↗ ri 'Centre Ville'
16	*Orange ▲ onder spoor, stopl ↑,
	↑ ri Le Jonquier, bij spl Rue Louis Goût ↗, Rue Alsace Lorraine
16,5	stopl, kruis vw (is N7), na 300 m → Rue du Bourbonnais, bordjes ▲ volgen, bij ◀ ↑
18	eind ← Ch. de la Passerelle, na 500 m spl ↖
19	↑ Chemin du Moulin, na 700 m eind →
20	over snelweg, bij spl ← Ch. des Barragnes
21	eind → Ch. de Martignan (is D237)
22,5	← Ch. de Bigonnet, na 400 m op spl ↗
24	kruis vw, na 300 m → (voor huis)
26	kruis vw, ↑ langs kerkhof, Caderousse ☐⚐

Avignon: Avignon, de 'stad der pausen', ligt op de linkeroever van de Rhône en wordt beheerst door een rots, de Rocher des Doms, waarop zich een gebouwencomplex bevindt: het paleis van de paus. In de middeleeuwen bekleedde die een belangrijke plaats in de Europese politiek, tot grote ergernis van vele vorsten, vooral van de Franse koningen. Eén van hen, Philips de Schone, dreef het conflict met paus Bonifacius op de spits. Diens opvolger, tot zijn verkiezing bisschop van Bordeaux, trok niet naar Rome, maar bleef in Avignon resideren. Zo werd deze stad van 1300 tot 1400 pauselijke residentie. Hierdoor kon de koning de macht van de paus aardig beteugelen. Hij stond hem bijvoorbeeld wel toe de stad te ommuren, maar slechts met enkelsteens dus zonder defensieve waarde! De stad echter putte grote welvaart uit deze gast. In een luttel aantal jaren steeg het inwonertal van 5000 tot 40.000! Zo'n paus bracht een hele nasleep aan kardinalen en buitenlandse vertegenwoordigers met zich mee, die moesten wonen, leven en feesten vieren. Hij koos zich de Rocher als woonplaats en iedere nieuw-gekozen opvolger putte zich uit om deze woning te vergroten en te verfraaien. Door wie en hoe al dit fraais gebouwd is kan in een rondleiding duidelijk worden (ook in het Nederlands!). Er zijn ook drie stadswandelingen beschreven die langs leuke pleintjes en grachtjes leiden: Place Crillon, Place Pie, Place des Charmes en de Rue des Teinturiers met oude watermolens en exotische restaurants. Maar dit is niet het enige: de stad staat vol met heel interessante gebouwen: voormalige woningen van prelaten en gezanten. Nu zijn ze ingericht als museum of galerie. Kunst

wordt in Avignon namelijk met een hoofdletter geschreven, vooral de moderne. Zo is er ieder jaar een Festival van de Dramatische Kunst, een aaneenschakeling van voorstellingen: dans, toneel en film. Dit festival trekt tal van groepjes en individuen aan, die met hun spel de straat verlevendigen. Wie de tijd heeft moet zich eens onderdompelen in dit pandemonium van expressie en jong talent. Verder is een bezoekje aan de uit het liedje bekende Pont d'Avignon - hier heet hij 'Pont-St.Bénézet' - een must, maar voor het dansen kan men beter een discotheek opzoeken. Nog één tip: breng een zwoele zomeravond door op een terrasje van de Place Crillon (zie route) en proef daar de sfeer van jeugd en vrijheid.

Verder zal een gidsje voor een paar franken de weg wijzen in dit labyrint vol historie, cultuur, jeugd en schoonheid.
Bij de VVV is een bewaakte fietsenstalling voor degenen die Avignon in een paar uur willen "doen". Wie meerdere dagen ter beschikking heeft bezoeke ook Villeneuve aan de overzijde van de rivier. Daar is een prachtig gerestaureerd klooster.

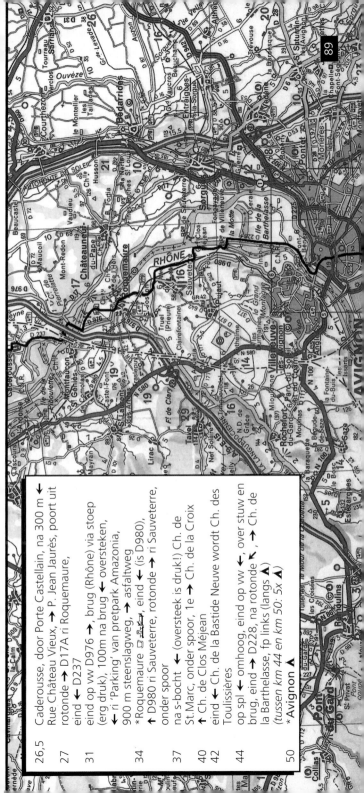

26,5	Caderousse, door Porte Castellain, na 300 m ↓
	Rue Château Vieux, → P. Jean Jaurès, poort uit
27	rotonde → D17A ri Roquemaure,
	eind ↓ D237
31	eind op vw D976 ↑, brug (Rhône) via stoep
	(erg druk), 100m na brug ↓ oversteken,
	↓ ri 'Parking' van pretpark Amazonia,
	900 m steenslagweg, → asfaltweg
34	* Roquemaure ☞ ⛽ 🛒 , eind ↓ (is D980),
	↑ D980 ri Sauveterre, rotonde → ri Sauveterre,
	onder spoor
37	na s-bocht ↓ (oversteek is druk!) Ch. de
	St.Marc, onder spoor, 1e → Ch. de la Croix
40	↑ Ch. de Clos Méjean
42	eind ↓ Ch. de la Bastide Neuve wordt Ch. des
	Toulissières
44	op spl ↓ omhoog, eind op vw ↓, over stuw en
	brug, eind → D228, na rotonde ↖ , → Ch. de
	la Barthelasse, fp links (langs 🅰)
	(tussen km 44 en km 50: 5x 🅰)
50	* Avignon 🅰

De eerste kilometers vanaf Avignon zijn zeer druk. Daarbij is de brug over de Durance heel smal. Maar na Rognonas is dit voorbij en volgt een vlakke, rustige weg tussen velden met groenten en boomgaarden. Liefhebbers van Van Gogh zullen op een pleintje en in een laantje met cypressen bekende punten tegenkomen. We zijn hier in het hart van 'zijn' Provence. Sommige plaatsnamen zijn "tweetalig". Aan de boerderijen, wier namen met "mas" beginnen en en waar soms vechtstieren gefokt worden, kun je zien, dat de Camargue nadert.

Maillane: Dorp met leuk pleintje, dat weggelopen kon zijn uit een schilderij van Van Gogh, een foto waard. Des te meer, omdat de echte inspiratiebron in Arles na 100 jaar nogal veranderd is: het café is textielzaak en het terras ervoor een altijd volle parkeerplaats!

Arles: beschrijving in hoofdstuk 6, pag. 130.

Vanuit Arles voert de route over de Pont de Trinquetaille de Camargue in. De route volgt een omweg, maar laat wel de Camargue in al zijn aspecten zien. Deze gids beschrijft de tocht door de Camargue als een rondrit (je kunt dus ook 'andersom' rijden, dat wil zeggen in Ecole de Gimeaux afslaan). Ook is het mogelijk, tenminste voor avontuurlijke geesten, de kleiweg te nemen langs het pretpark van Méjanes.

Dit gebied heeft overeenkomsten met West-Nederland: het is ook aanslibsel van een rivier. In de Romeinse tijd lag Arles nog aan zee. De westelijke route (langs St. Gilles) vertoont veel landbouw, meest rijst. Bij het naderen van dit stadje wordt de weg wat drukker, maar vóór de bebouwde kom gaat het linksaf dieper de Camargue in. Daarna kronkelt onze weg heel lang parallel aan de Petit Rhône (links) door de rijstakkers. Van tijd tot tijd een eenzame boerderij, waarvan enkele zijn ingericht als 'auberge'. De pont ("Bac Sauvage") vormt een aardige afwisseling op deze vlakke 'polderweg'. Let wel op de vaartijden.

Bij het naderen van Stes.Maries-de-la-Mer links stierenfokkerijen, die de slachtoffers leveren voor een bloedige sport. Verderop enkele typische Camargue-huisjes: wit met rieten dak en een halfronde wand aan de windzijde.

Dan buigt de weg naar links, we rijden even evenwijdig aan de zee, maar die zien we niet: hij ligt achter een hoge muur van rotsblokken. Pas in Stes.Maries zelf kunnen we, rechts langs de VVV, aan zee komen om het einde van de lange tocht te vieren.

De oostelijke route, hier als terugweg beschreven, toont meer natuur: vogels (flamingo's!), schildpadden, maar vooral veel water. Vanaf de VVV in Stes.Maries gaat het eerst over een 17 km lange steenslag- en zandweg, la Digue à la Mer. Halverwege breekt een mooie vuurtoren deze vrij zware tocht. Gelukkig is de weg verderop geasfalteerd. We rijden dan langs de Étang de Vaccarès naar het noorden. Bij het informatiecentrum is een wandelingetje naar een vogelkolonie mogelijk. Bij Villeneuve laten we het étang achter ons en keren we terug naar het begin: de splitsing bij Ecole de Gimeaux.

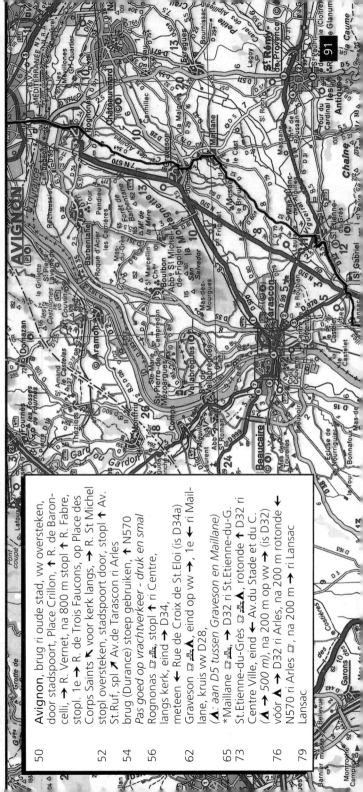

50	**Avignon**, brug ri oude stad, vw oversteken, door stadspoort, Place Crillon, ↑ R. de Baron-celli, → R. Vernet, na 800 m stopl ↑ R. Fabre, stopl. 1e → R. de Trois Faucons, op Place des Corps Saints ↖ voor kerk langs, → R. St Michel
52	stopl oversteken, stadspoort door, stopl ↑ Av. St.Ruf, spl ↗ Av.de Tarascon ri Arles
54	brug (Durance) stoep gebruiken, ↑ N570 *Pas goed op vrachtverkeer - druk en smal*
56	Rognonas ⌖ 🚲, stopl ↑ ri Centre, langs kerk, eind → D34, meteen ← Rue de Croix de St.Eloi (is D34a)
62	Graveson ⌖ 🚲 ▲, eind op vw →, 1e ← ri Mail-lane, kruis vw D28, *(▲: aan D5 tussen Graveson en Maillane)*
65	*Maillane ⌖ 🚲, → D32 ri St.Etienne-du-G.
73	St.Etienne-du-Grès ⌖ 🚲 ▲, rotonde ↑ D32 ri Centre Ville, eind ← Av.du Stade et du C. (▲ → *500 m*), na 200 m op vw → (is D32)
76	vóór ▲ → D32 ri Arles, na 200 m rotonde ↓ N570 ri Arles ⌖, na 200 m ri Lansac
79	Lansac

waar pelgrims door Frankrijk naar Santiago de Compostela trokken. Ook vele Jeruzalemgangers scheepten zich hier in. Dit bracht de stad tot grote bloei. Onderdak vonden deze pelgrims in de reusachtige Benedictijner abdij en kerk. In de godsdienstoorlogen van 1562 is het complex verwoest en zijn de monniken vermoord. Daarna is de kerk voor een deel hersteld. De voorgevel is een bezoek waard. Bezichtig dan ook de crypte en de wenteltrap om zo enigszins een beeld te krijgen van hoe het geweest is. Wie geïnteresseerd is in de betekenis van de gebeeldhouwde taferelen in de gevel en/of in de legende van St.Aegidius kan hierover ter plaatse voldoende informatie krijgen.

Stes.Maries-de-la-Mer: Het einddoel van onze reis. Tot 1960 was deze plaats aan zee een vergeten vissersdorpje. Eén maal per jaar wakker gekust door de pelgrimerende zigeuners (zie hoofdstuk 2). Van Gogh heeft het nog gekend in zijn ongereptheid: hij heeft het verlaten strand geschilderd: slechts een paar kleurige vissersbootjes! Sinds enkele jaren ondergaat het dorpje 's zomers de invasie van zon- en zeegenieters en daar is het voor rustzoekers niet aantrekkelijker van geworden. De oude huisjes zijn behouden gebleven en goed gerestaureerd, maar hier lang te verblijven is van half juli tot half augustus geen overdeeld genoegen. Men kan het schoons dan alleen 's morgens in alle vroegte zien als alle eet-, drink- en souvenirzaken nog gesloten zijn. Het pleintje rond de kerk is fraai ingericht.

St.Gilles: Stad op de rand van de Camargue die iets uitsteekt boven de rest van deze streek. Jachthaven aan de Petit Rhône en papier- en kartonindustrie (grondstof: het riet en het rijststro uit de Camargue). Onder bij de brug is een leuk aangelegde kade met veel bloemen en aan de landzijde een paar aardige eethuisjes. Dit stadje was in de Middeleeuwen één van de vier hoofdpunten van-

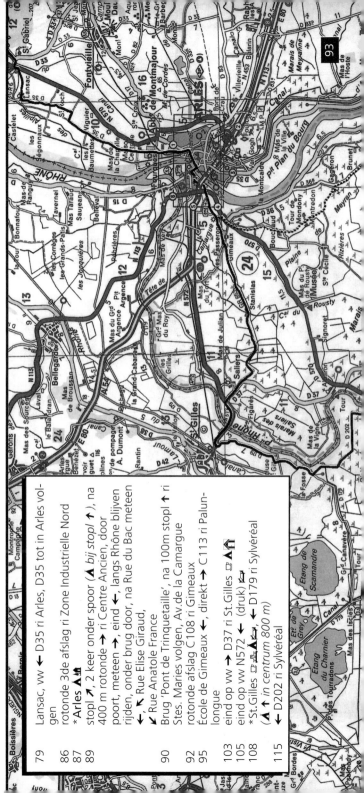

79	Lansac, vw ← D35 ri Arles, D35 tot in Arles volgen
86	rotonde 3de afslag ri Zone Industrielle Nord
87	*Arles ▲ ⋔
89	stopl ↗, 2 keer onder spoor (▲ *bij stopl ↑*), na 400 m rotonde → ri Centre Ancien, door poort, meteen →, eind ←, langs Rhône blijven rijden, onder brug door, na Rue du Bac meteen ←, ↖ Rue Elise Giraud, ↙ Rue Anatole France
90	Brug 'Pont de Trinquetaille', na 100m stopl ← ri Stes. Maries volgen, Av.de la Camargue
92	rotonde afslag C108 ri Gimeaux
95	École de Gimeaux ←, direkt → C113 ri Palunlongue
103	eind op vw → D37 ri St.Gilles ▲ ⋔
105	eind op vw N572 ← (druk)
108	*St.Gilles, ← D179 ri Sylveréal (▲ ↑ in centrum 800 m)
115	← D202 ri Sylveréal

Er is een minimuseum ter ere van oud-burgemeester Folco de Baroncelli, die veel gedaan heeft om het eigene van de streek te behouden.

Vooral echter is er de bijna vensterloze weerkerk, uniek van vorm, meer ingericht om te dienen als fort dan voor de eredienst. Van verre herkent men de vreemde constructie al: het platte dak met weergang, de kapel erop en de typische klokkentoren. In de donkere ruimte (men kan zelf de verlichting ontsteken door een druk op de knop) vindt men: de beelden van de beide Maria's, het ingemetselde stenen hoofdkussen ernaast, een put om belegeringen te kunnen doorstaan en, in de crypte, het beeld en de reliekwieën van Sara. Dit alles in een stijl die wij kitsch zouden noemen, maar die de pelgrims kennelijk aanspreekt. Rondom dit centrum tal van nieuwe gebouwen, maar nooit hoger dan twee lagen en in Provençaalse stijl, dus redelijk aangepast.

In het centrum is een vrij groot plein waarop 's morgens een heel uitgebreide markt gehouden wordt. Mogelijke souvenirs naast het regenboogteken: het symbool van geloof-hoop-liefde van de Camargue, een wintervoorraad knoflook, de specifiek geweven stof van de Provence en een CD met Provençaalse muziek.

We moeten ook nog de arena noemen waarin stierengevechten worden gehouden. In de vakantietijd stelt dit echter niet veel voor: een paar maal per week mogen mensen die daaraan behoefte hebben met een jong stiertje dollen tot vermaak van de minder dapperen. Een niet al te verheffend schouwspel.

Wat het baden in zee betreft: men is hier zo ver van de Rhône-

monding en de riolen van Marseille, dat het water nog aanvaardbaar schoon is. Azuurblauw is de zee echter niet, omdat men er vanaf het vlakke strand tegenaan kijkt. Weinig of geen branding, getijden of stroming en langzaam aflopende zandbodem. Het zandstrand is grauw van kleur. De rust ervan wordt nogal eens verstoord door lieden die hun - gehuurde - paarden in galop over het zand jagen.

In het hoogseizoen kan onderdak een probleem zijn, ook als men kampeert. Een jeugdherberg ligt 10 km noordelijk langs de D95a in Pioch Badet. Men kan ook het zekere voor het onzekere nemen en op de heenweg al een slaapplaats reserveren in één van de auberges langs de D85. Eén waarschuwing nog: zorg voor een middel tegen muggen en hou de slaaptent dicht, anders maken deze beestjes 's avonds en 's nachts je leven onmogelijk!

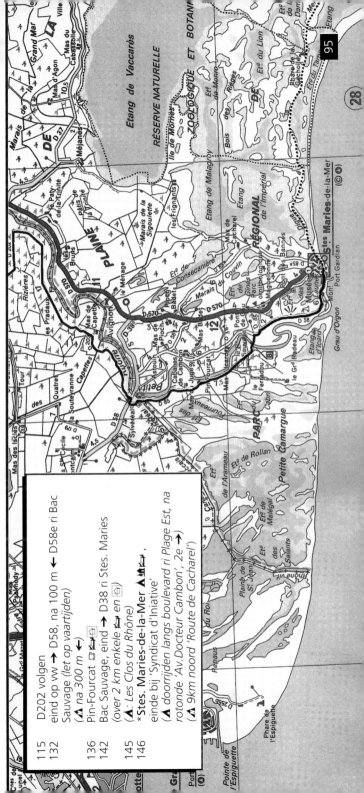

95

28

115	D202 volgen
132	eind op vw → D58, na 100 m ← D58e ri Bac
	Sauvage (let op vaartijden)
	(▲ na 300 m ←)
136	Pin-Fourcat ⊞☂☐⌂
142	Bac Sauvage, eind → D38 ri Stes. Maries
	(over 2 km enkele ⛽ en ⌂)
145	(▲: Les Clos du Rhône)
146	*Stes. Maries-de-la-Mer ▲⛺⛽⛵,
	eind bij 'Syndicat d'Iniative'
	(▲ doorrijden langs boulevard ri Plage Est, na
	rotonde 'Av. Docteur Cambon', 2e →)
	(▲ 9km noord 'Route de Cacharel')

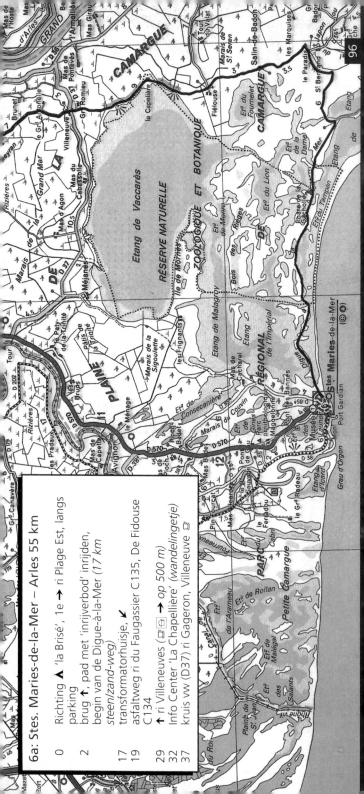

6a: Stes. Maries-de-la-Mer – Arles 55 km

0	Richting ▲ 'la Brisé', 1e → ri Plage Est, langs parking
2	brug ↑, pad met 'inrijverbod' inrijden, begin van de Digue-à-la-Mer (17 km steen/zand-weg)
17	transformatorhuisje, ↙
19	asfaltweg ri du Faugassier C135, De Fidouse C134
29	↑ ri Villeneuves (🅿️ 🚻) ↑ op 500 m)
32	Info Center 'La Chapellière' (wandelingetje) 🚻
37	kruis vw (D37) ri Gageron, Villeneuve 🚻

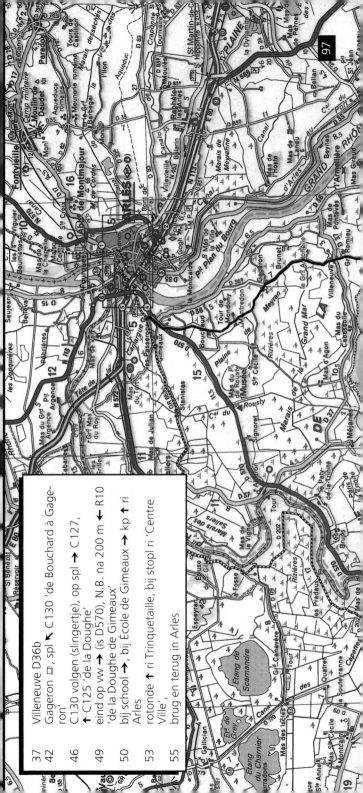

37	Villeneuve D36b
42	Gageron ⌂, spl ← C130 'de Bouchard à Gageron'
46	C130 volgen (slingertje), op spl → C127, ← C125 'de la Doughe'
49	eind op vw → (is D570), N.B. na 200 m ← R10 'de la Doughe de Gimeaux'
50	bij school →, bij École de Gimeaux → kp ↑ ri Arles
53	rotonde ↑ ri Trinquetaille, bij stopl ri 'Centre Ville',
55	brug en terug in Arles

Lage Ardennen: Maastricht – Bettembourg

0	MAASTRICHT 🚂 🏠 Station ↑ ri centrum Stationsstraat, ↑ Servaasbrug, na brug ↓, volg de fietswijzers naar Kanne
2	voor parkeergarage 'O.L.Vrouweplein' ↑ Graanmarkt, wordt O.L. Vrouwepl. (volg de fietswijzers naar Kanne), ← Cortenstr., ↑ Witmakersstr., ← Achter de Molens, ↓ Kleine Looiersstr., → St.Pieterstr., spl ↙ Henri Hermanspark doorgaande weg volgen, wordt Sint Hubertusln., kruis Pr. Bisschopsingel, wordt Luikerweg
3	↑ Mergelweg (Belgische grens)
6	Kanne 🚂 🏠, voor kerk → Brugstr., op vw ↑ Grenadiersweg, brug over Albertkanaal
7	direkt na brug → en ↗('LF6b Vlaanderen Fietsroute', 800m zigzag klim)
10	bij Zussen op 5-sprong 'LF6' volgen, na 300m eind ↗ Diepstr., weg volgen
11,5	Zichem Bolder 🏠, kruis vw (N671)
13,5	St.Servaasstr., 2x kp ↑ Valmeer 🚏

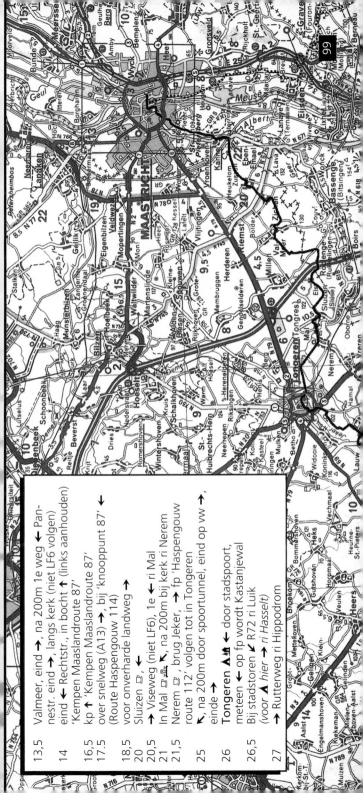

13,5	Valmeer, eind →, na 200m 1e weg ← Pan-
	nestr. eind →, langs kerk (niet LF6 volgen)
14	eind ← Rechtstr., in bocht ↑ (links aanhouden)
	'Kempen Maaslandroute 87'
16,5	kp ↑ 'Kempen Maaslandroute 87'
17,5	over snelweg (A13) ↑, bij 'knooppunt 87' ↓
	(Route Haspengouw 114)
18,5	voor onverharde landweg →
20	Sluizen ☒,
20,5	Viseweg (niet LF6), 1e ← ri Mal
21	In Mal ☒ ♨, na 200m bij kerk ri Nerem
21,5	Nerem ☒, brug Jeker, → fp 'Haspengouw
	route 112' volgen tot in Tongeren
25	↙, na 200m door spoortunnel, eind op vw →,
	einde →
26	Tongeren ▲ ♨ ← door stadspoort,
	meteen ← op fp wordt Kastanjewal
26,5	Bij stadstoren ↙ R72 ri Luik
	(voor ▲ hier → ri Hasselt)
27	→ Rutterweg ri Hippodrom

7 Alternatief Lage Ardennen
Maastricht - Bettembourg (257 km)

Tongeren: Bijna 30.000 inwoners telt deze plaats op de overgang van vochtig en droog Henegouwen.

Tongeren bezit al stadsrechten vanaf halverwege de 13e eeuw. Waarschijnlijk is dit de oudste stad van België In 1677 werd de gehele plaats door de troepen van Lodewijk XIV platgebrand. Het herstel begon pas weer op gang te komen na 1830.

Er zijn nog veel resten uit de rijke geschiedenis van Tongeren terug te vinden. Bezienswaardig zijn o.a.: de resten van een Romeinse omwalling uit de 2e eeuw, het begijnhof met huisjes uit de 16e eeuw, het stadhuis uit 1737, de Onze-Lieve-Vrouwe basiliek waaraan is gebouwd vanaf het begin van de 13e eeuw en een middeleeuwse stadspoort. De VVV is gevestigd op het stadhuisplein. Voor de geïnteresseerden in de oudste geschiedenis van deze streek is een bezoek aan het Gallo-Romeins museum welicht interessant.

Er is, omdat Tongeren een regionaal verzorgende functie heeft, een ruim aanbod van winkels, hotels, restaurants en cafés. Verder is er een jeugdherberg en in de omgeving zijn campings.

Huy: Deze plaats in de provincie Luik heet bij de Vlamingen Hoei. Huy telt amper 19.000 inwoners. Er wordt al bewoning gemeld in de voor-Keltische tijd. In de 10e eeuw maakte het deel uit van het prinsbisdom Luik. In de 12e eeuw werd het zelfstandig. Huy is een belangrijk wolcentrum.

Er is een zeer aardige wandelroute (verkrijgbaar bij de VVV, Quai de Namur 4) die langs de onderwerpen uit het werk van de schilder Paul Delvaux leidt. Een leuke manier om kennis te maken met de stad.

Als bezienswaardigheden zijn te noemen: Notre Dame, gotische kathedraal waarvoor de eerste steen werd gelegd in 1311. "Het Bethlehem" is een fraaie, grote, spitsboog uit de 14e eeuw met afbeeldingen uit de eerste levensdagen van Jezus. Het stadhuis dateert uit 1766 en is te vinden aan de Grote Markt (Le Grand'Place). Achter het stadhuis treft men op de Place Verte en in de naburige straatjes een bijzondere sfeer. Als het er niet druk is waant men zich in vroegere tijden. De citadel torent 70 meter boven de Maas uit. In 890 zouden op deze plaats al versterkingen hebben gestaan. Het huidige fort (1818) is gebouwd door de "Hollanders". In de tweede wereldoorlog was het een Nazi-kamp. Van hieruit werden veel mensen afgevoerd naar de vernietigingskampen. Het is nu een gedenkplaats aan die zeer droevige tijd.

Voor overnachtingen en de inwendige mens heeft Huy een ruim aanbod.

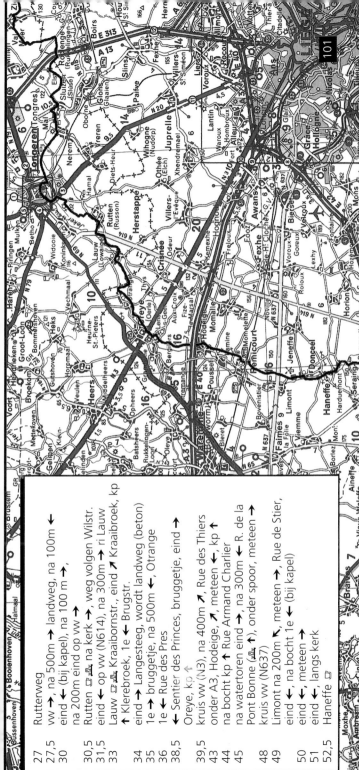

27	Rutterweg
27,5	vw →, na 500m → landweg, na 100m ↓
30	eind ↓ (bij kapel), na 100 m →, na 200m eind op vw →
30,5	Rutten ⌂🚲 na kerk →, weg volgen Wilstr.
31,5	eind ← op vw (N614), na 300m → ri Lauw
33	Lauw ⌂🚲 Kraaibornstr., eind ↗ Kraaibroek, kp ↑ Klerebroek, 1e ← Brugstr.
34	eind → Langesteeg, wordt landweg (beton)
35	1e → bruggetje, na 500m ←, Otrange
36	1e ← Rue des Pres
38,5	← Sentier des Princes, bruggetje, eind ↑ Oreye, kp ↑
39,5	kruis vw (N3), na 400m ↗, Rue des Thiers
43	onder A3, Hodeige, ↗, meteen ↓, kp ↑
44	na bocht kp ← Rue Armand Charlier
45	na watertoren eind →, na 300m ↓ R. de la Pont Bonne (🚲 ↑), onder spoor, meteen ↑
48	kruis vw (N637)
49	Limont na 200m ↙, meteen →, Rue de Stier, eind ↓, na bocht 1e ← (bij kapel)
50	eind ↓, meteen →
51	eind ↓, langs kerk
52,5	Haneffe ⌂

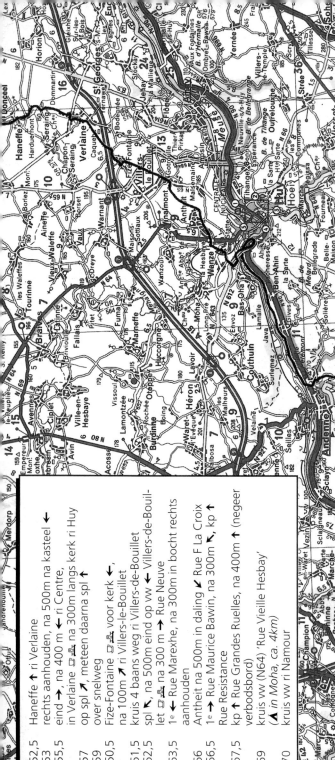

52,5	Haneffe ↑ ri Verlaine
53	rechts aanhouden, na 500m na kasteel ↓
55,5	eind →, na 400 m ← ri Centre, in Verlaine 🚲📷, meteen daarna spl ↑ over snelweg
57	op spl ↗, meteen daarna spl ↑ over snelweg
59	
60,5	Fize-Fontaine 🚲📷 voor kerk ↓, na 100m ↗ ri Villers-le-Bouillet
61,5	kruis 4 baans weg ri Villers-de-Bouillet
62,5	spl ↙, na 500m eind op vw → Villers-de-Bouillet 🚲📷 na 300 m → Rue Neuve
63,5	1e ← Rue Marexhe, na 300m in bocht rechts aanhouden
66	Antheit na 500m in daling ↙ Rue F La Croix
66,5	1e ← Rue Maurice Bawin, na 300m ↖, kp ↑ Rue Resistance
67,5	kp ← Rue Grandes Ruelles, na 400m ↑ (negeer verbodsbord)
69	kruis vw (N64) 'Rue Vieille Hesbay' (▲ in Moha, ca. 4km)
70	kruis vw ri Namour

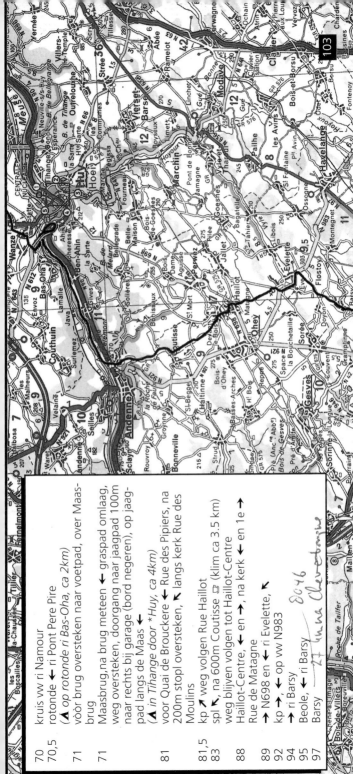

70	kruis vw ri Namour
70,5	rotonde ← ri Pont Pere Pire (▲ op rotonde ri Bas-Oha, ca 2km)
71	vóór brug oversteken naar voetpad, over Maas-brug
71	Maasbrug, na brug meteen ← graspad omlaag, weg oversteken, doorgang naar jaagpad 100m naar rechts bij garage (bord negeren), op jaag-pad langs de Maas ↑ (▲ in Tihange door *Huy, ca 4km)
81	voor Quai de Brouckere ← Rue des Pipiers, na 200m stoplopversteken, ↖ langs kerk Rue des Moulins
81,5	kp ↗ weg volgen Rue Haillot
83	spl ↖, na 600m Coutisse ⚑ (klim ca 3.5 km) weg blijven volgen tot Haillot-Centre
88	Haillot-Centre, ← en → , na kerk ← en 1e → Rue de Matagne
89	↑ N698 en ↖ ri Evelette, ↖
92	kp ↑, ← op vw N983
94	↑ ri Barsy
95	Beole, ← ri Barsy
97	Barsy 8046 27 uua Clevetoyn

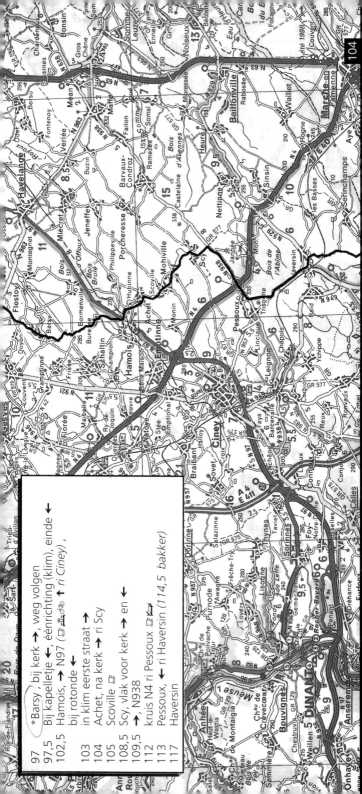

97	*Barsy, bij kerk →, weg volgen
97,5	Bij kapelletje ←, éénrichting (klim), einde →
102,5	Hamois, → N97 (🚲 ← ri Ciney), bij rotonde ↓
103	in klim eerste straat →
104	Achet, na kerk → ri Scy
105	Scoville 🚲
108,5	Scy, vlak voor kerk → en ↓
109,5	→ N938
112	kruis N4 ri Pessoux 🚲 ↓
113	Pessoux, ← ri Haversin (114,5 bakker)
117	Haversin

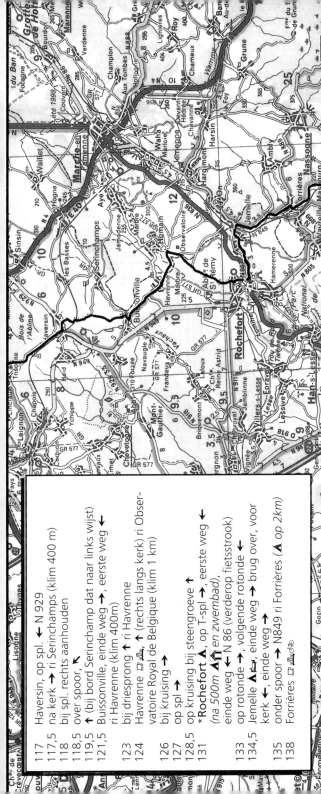

117	Haversin, op spl. ← N 929
117,5	na kerk → ri Serinchamps (klim 400 m)
118	bij spl. rechts aanhouden
118,5	over spoor, ↖
119,5	↑ (bij bord Serinchamp dat naar links wijst) ri Havrenne (klim 400m)
121,5	Buissonville, einde weg →, eerste weg ↓
123	bij driesprong ↑ ri Havrenne
124	Havrenne ⌂ 🚲, ↑ (rechts langs kerk) ri Observatoire Royal de Belgique (klim 1 km)
126	bij kruising ↑
127	op spl ↑
128,5	op kruising bij steengroeve ↑
131	★ Rochefort ⌂, op T-spl →, eerste weg ↓ *(na 500m ⌂🏊 en zwembad)*
	einde weg ↓ N 86 (verderop fietsstrook)
133	op rotonde →, volgende rotonde ↓
134,5	Jemelle ⌂🚲, einde weg → brug over, voor kerk ←, einde weg ↑
135	onder spoor → N849 ri Forrières (⌂ op 2km)
138	Forrières ⌂ 🚲 ♻

Saint-Hubert: In een van de dichte wouden rond dit kleine Belgische dorp zou in de achtste eeuw, op een Goede Vrijdag, ene Hubertus bekeerd zij tot het katholieke geloof. Tijdens de jacht zag hij een het met tussen het gewei een oplichtend kruis. In de kerk van St. Hubert zijn verschillende herinneringen aan dit wonderlijke gebeuren terug te vinden. Hubertus werd later bisschop van Tongeren of van Maastricht. In beide plaatsen, die ook op onze route liggen, is nog een en ander over de heilige Hubertus terug te vinden. Hubertus is nog steeds de heilige van de jacht. Op zijn naamdag worden in veel streken (ook in Zuid-Nederland) gezegende krenten- of rozijnenbollen gegeten. Het eten van deze bollen biedt, volgens de overlevering, een jaar lang bescherming tegen hondsdolheid.

In het museum "Huis van het Ardeens Paard" valt een en ander op te steken over de evolutie van de Ardense bossen.

Rochefort: Rustig liggend aan de Lesse en de Lomme in de provincie Namen (Fagne en Famenne) vervult Rochefort een centrumfunctie voor het omliggende agrarische gebied. Deze streek is, met ongeveer 50 mensen per km², dunbevolkt. De migratie naar de grote steden zorgt er voor dat daarin geen groei meer zit. Er is hier, zoals in de hele omgeving, weinig industrie te vinden. Een derde van het grondoppervlak van de streek is bosland. Vetweiden is de belangrijkste agrarische activiteit.

De beroemde grotten van Han (-sur-Lesse, iets naar het zuiden) en van Rochefort zijn de grote toeristische trekpleisters. Vooral de Sabbatzaal is indrukwekkend. Maar ook de uitgestrekte bossen en de rotsformaties, vooral in het nationaal park Lomme-Lesse, zijn zeer de moeite waard.

Rochefort is met 12.000 inwoners geen grote plaats. Maar door de streek-centrumfunctie en het toerisme is het er wel zeer bedrijvig. In het centrum zijn nog een aantal interessante woningen uit de 16e en 17e eeuw te vinden. Verder vindt u er een burchtruïne met een archeologisch museum en opgravingen. De oorspronkelijk burcht dateert uit de 12e eeuw. De trappistenabdij St-Rémy (gesticht in 1230) is een bezoek waard. De abdij ligt op de route, vlak voordat Rochefort wordt bereikt. Ook in de buurt vindt u een Gallo-Romeinse villa en het kasteel van Lavaux-Ste-Anne. Voor overnachtingen en (prima) restaurants kan men in Rochefort en directe omgeving heel goed terecht.

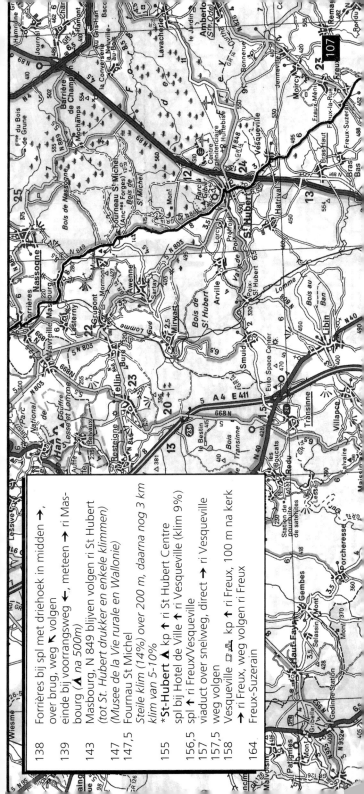

138	Forrières bij spl met driehoek in midden ↑, over brug, weg ↖ volgen
139	einde bij voorrangsweg ↙, meteen → ri Masbourg (▲ na 500m)
143	Masbourg, N 849 blijven volgen ri St Hubert (tot St. Hubert drukker en enkele klimmen) (Musee de la Vie rurale en Wallonie)
147	Fournau St Michel
147,5	Steile klim (14%) over 200 m, daarna nog 3 km klim van 5-10%
155	*St-Hubert ▲ kp ↑ ri St Hubert Centre spl bij Hotel de Ville ↑ ri Vesqueville (klim 9%)
156,5	spl ↑ ri Freux/Vesqueville
157	viaduct over snelweg, direct → ri Vesqueville
157,5	weg volgen
158	Vesqueville ⌂ 🏠 kp ↑ ri Freux, 100 m na kerk → ri Freux, weg volgen ri Freux
164	Freux-Suzerain

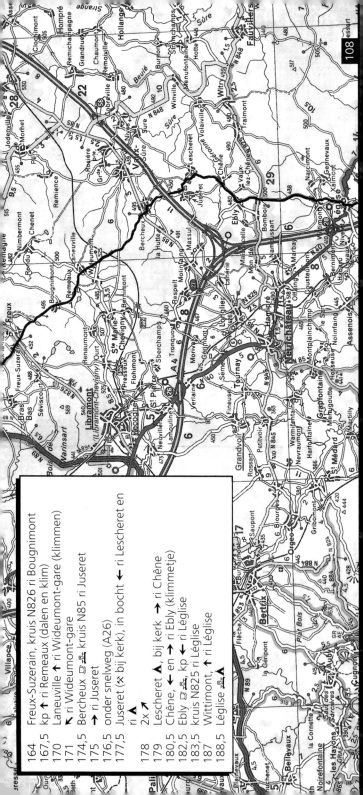

164	Freux-Suzerain, kruis N826 ri Bougnimont
167,5	kp ↑ ri Remeaux (dalen en klim)
170	Laneuville ← ri Wideumont-gare (klimmen)
171	↗ ri Wideumont-gare
174,5	Bercheux ⌂ kruis N85 ri Juseret
175	↑ ri Juseret
176,5	onder snelweg (A26)
177,5	Juseret (✗ bij kerk), in bocht ← ri Lescheret en ri ⛰
178	2x ↗
179	Lescheret ⛰, bij kerk → ri Chêne
180,5	Chêne, ↓ en → ri Ebly (klimmetje)
182,5	Ebly ⌂, kp ← ri Léglise
183,5	kruis N825 ri Léglise
187	Wittimont, ↑ ri Léglise
188,5	Léglise ⌂⛰

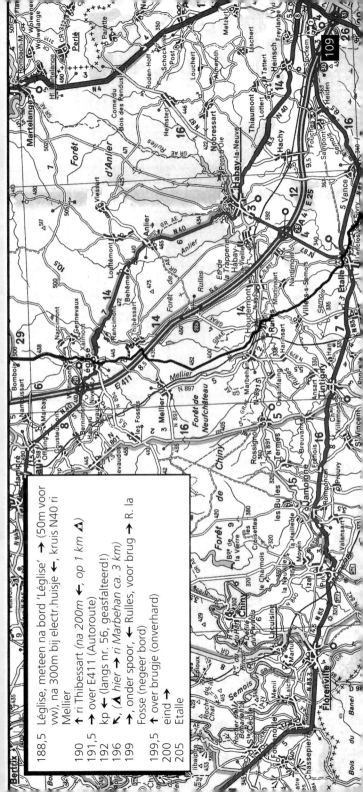

188,5	Léglise, meteen na bord 'Léglise' → (50m voor vw), na 300m bij electr.huisje ←, kruis N40 ri Mellier
190	← ri Thibessart (na 200m ←, op 1 km ⚠)
191,5	↑ over E411 (Autoroute)
192	kp ← (langs nr. 56, geasfalteerd!)
196	↙, (⚠ hier → ri Marbehan ca. 3 km)
199	→, onder spoor, ← Rulles, voor brug → R. la Fosse (negeer bord)
199,5	↑ over brugje (onverhard)
200	eind ↑
205	Etalle

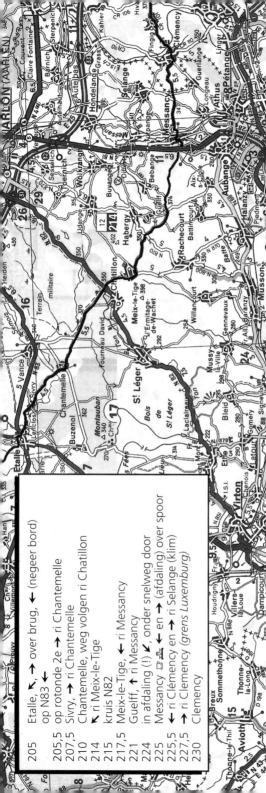

205	Etalle, ↖, → over brug, ← (negeer bord)
	op N83 ←
205,5	op rotonde 2e → ri Chantemelle
207,5	Sivry, → ri Chantemelle
210	Chantemelle, weg volgen ri Chatillon
214	← ri Meix-le-Tige
215	kruis N82
217,5	Meix-le-Tige, ← ri Messancy
221	Guelff, ↑ ri Messancy
224	in afdaling (!) ↙, onder snelweg door
225	Messancy ⌂ ➔ en ↑ (afdaling) over spoor
225,5	→ ri Clémency en → ri Selange (klim)
227,5	→ ri Clémency (grens Luxemburg)
230	Clemency

230	Clemency, ↑ ri Fingig (links van bushokje!)
234	Hivange, → ri Dahlem
236	Dahlem, voor N13 → ri Schouweiler
238	Schouweiler, ← ri Limpach
242	Limpach, ← ri Reckange
244	kruis N13, Reckange, ↑ ri Roedgen
246	in bocht naar links ↑ (fp, negeer verbodsbord)
249	Leudelange ⌂ 🍴, na kerk → ri Abweiler
254,5	bij vw, ↑ op fp links van de weg, 1e ←, ↑ en op vw
256	**Bettembourg** ▲ → N13 ri Hellange, brug over spoor, direct na brug →
256,5	Camping, ↑ (negeer eenrichting, neem de stoep), 1e →
257	voor vw (N31) over stoep ↗, 'Rue de la ferme' *hier verder met hoofdroute op km 253,5 van etappe 1.*

8. Alternatief: Rochegude – St.Pierre-sur-Mer (277 km)

Verantwoording

De alternatieve route is, landschappelijk gezien, interessanter dan het vrij vlakke, wat saaie Rhônedal, maar daardoor ook zwaarder. Regelmatig moet er geklommen worden, wat in het hoogseizoen in de soms verzengende hitte, weleens een opgave kan zijn. De keuze is aan u.

Streekbeschrijving

Het eerste gedeelte van dit alternatief voert door de Tricastin, langs de vele wijngaarden, opgefleurd door rozenstruiken aan de wegkant. Vervolgens steken we bij Pont St. Esprit de Rhône over en komen we in de Languedoc. "Langue d'oc" is de taal (letterlijk: de taal van het zuiden, ook het occitaans genoemd) die in de middeleeuwen in geheel Zuid-Frankrijk en in deze streek nog tot ver in de 19e eeuw op het platteland werd gesproken.

Nu kan men het zien als een soort dialect. Let op de typische tongval (zo wordt de n als ng uitgesproken) van de plaatselijke bevolking. Tegenwoordig wordt officieel gepoogd het occitaans te behouden via tweetalig onderwijs. In veel plaatsen verschijnen straatnaambordjes in beide talen.

Tot Uzès komen we door een heuvelachtig, bosrijk gebied met af en toe mooie vergezichten, oude dorpjes en ruïnes.

Bijna de gehele route, tot bij Narbonne, voert over de "Garrigues",

het dorre kalkplateau dat de verbinding vormt tussen het berggebied en de laagvlaktes langs de Middellandse Zee. Vooral de route tussen, Uzès en St. Martin-de-Londres heeft de typische kenmerken van de Garrigues: grillig, kaal, waar alleen de steeneik en de kermeseik (meer struiken dan bomen) en ander struikgewas wil groeien. Kudden schapen, verwilderde olijfgaarden, lavendelvelden en wilde kruiden, zoals tijm en rozemarijn, completeren het beeld.

De meer vruchtbare gedeelten worden uiteraard gedomineerd door de wijnbouw. Na de beruchte druifluisplaag die eind 19e eeuw door heel Frankrijk woedde, maar vooral in deze streken de wijnbouw decimeerde, degradeerde de wijn uit de Languedoc tot een goedkoop en ordinair tafelwijntje. Maar de laatste jaren is men kwalitatief gezien aan een snelle revival bezig.

Voorbij Narbonne rest ons nog de korte weg naar de Middellandse zee, tenslotte mag de naam van de route geen geweld worden aangedaan. Gekozen is voor St.Pierre-sur-Mer, omdat dit plaatsje het minst geleden heeft onder het massa-toerisme, tenminste.... tot nu toe.

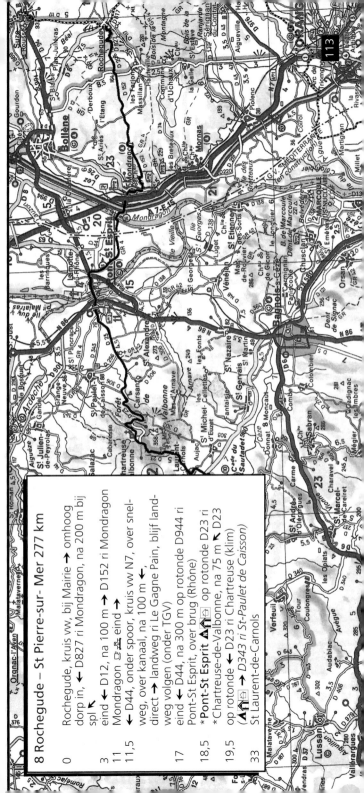

8 Rochegude – St Pierre-sur- Mer 277 km

0	Rochegude, kruis vw, bij Mairie → omhoog dorp in, ← D827 ri Mondragon, na 200 m bij spl ↙
3	eind ← D12, na 100 m → D152 ri Mondragon
11	Mondragon ⚐ ⛽ eind ↑
11,5	← D44, onder spoor, kruis vw N7, over snel-weg, over kanaal, na 100 m ↙, direct → landweg ri Le Gagne Pain, blijf land-weg volgen (onder TGV)
17	eind ← D44, na 300 m op rotonde D944 ri Pont-St Esprit, over brug (Rhône)
18,5	*Pont-St Esprit ⛺🏠⊞ op rotonde D23 ri *Chartreuse-de-Valbonne, na 75 m ⬆ D23 ri Chartreuse (klim)
19,5	op rotonde ← D23 ri Chartreuse (klim) (⛺🏠⊞ → D343 ri St-Paulet de Caisson)
33	St Laurent-de-Carnols

HISTORIE

Een uitgebreide geschiedenis van deze streek valt buiten dit kader. Zeker gezien het bewogen karakter valt het nauwelijks samen te vatten. Op de route ontmoeten we nog overblijfselen uit de Keltische periode, maar vooral, meestal in de steden, uit de tijd van de Romeinse overheersing.

Iets langer kunnen we stilstaan bij de dramatische geschiedenis van de Katharen (het woord "ketter" is hiervan afgeleid), die een belangrijk stempel op deze streek hebben gedrukt.

Zoals nu het jaar 2000 tot de verbeelding spreekt en allerlei emoties losmaakt, van doldraaiende computers tot het Einde der Tijden, was het jaar 1000 in de donkere Middeleeuwen vervuld van magie. Men had zeer optimistische verwachtingen, o.a. in de vorm van de terugkeer van Christus op aarde. Toen bleek het magische jaar geruisloos voorbij ging en dat armoede en epidemieën gewoon doorgingen, kreeg de geestelijkheid, die vaak in weelde baadde en zich van God noch Gebod iets aantrok, de schuld van het uitblijven van het Heil.

De Katharen (de Zuiveren) wilden terug naar de zuivere oorsprong van het geloof. Men zag het bestaan als een voortdurende strijd tussen het Goede (het geestelijke, de ziel) en het Kwade (het lichamelijke, stoffelijke, materiële). De kerkelijke hiërarchie werd niet erkend, evenmin als de dogma's, relikwieën en heiligen. Aangenomen wordt dat dit geloof zich vanuit Klein-Azië snel over Europa verspreidde. Het vond vooral een goede voedingsbodem in Occitanië, waar een klimaat heerste van openheid en vrijheid

Gezicht op Pont St.Esprit aan de Rhône

zonder lijfeigenschap. Het grootste gedeelte van de adel, zoals de Graven van Toulouse, Foix en Carcassonne bekeerde zich tot het katharendom. De macht van de officiële Kerk werd zodanig bedreigd dat in 1209 een ware kruistocht tegen de Albigenzen (zoals ze ook werden genoemd, naar de stad Albi) werd gevoerd, waarbij duizenden slachtoffers vielen (zie ook beschrijving Béziers). Uiteraard speelde hier ook de strijd om de wereldlijke macht een rol: De Franse koning steunde de strijd tegen de machtige adel in het Zuiden. In 1233 werd in Toulouse de Inquisitie tegen de Albigenzen ingezet, waarbij lichamelijke en geestelijke folteringen het verzet moesten breken. Aan het begin van de 14e eeuw was er nog een opleving, waarna in 1340 de laatste ketters in Carcassonne werden verbrand (zie ook het boek "Montaillou" van Le Roy-Ladurie).

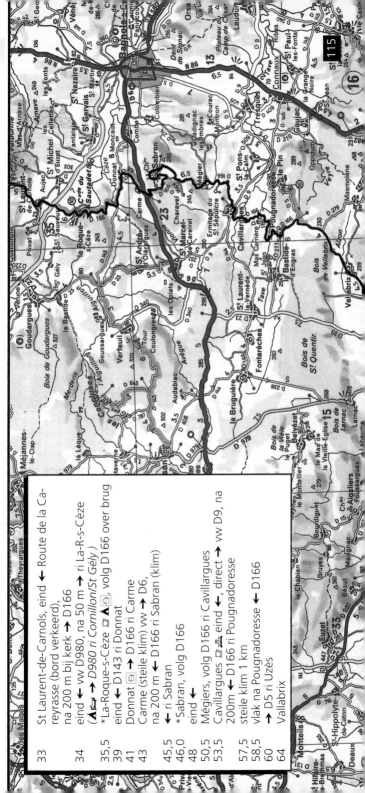

33	St Laurent-de-Carnols, eind ← Route de la Ca- reyrasse (bord verkeerd), na 200 m bij kerk → D166
34	eind ← vw D980, na 50 m → ri La-R-s-Cèze (▲⛺ → D980 ri Cornillon/St Gély)
35,5	*La-Roque-s-Cèze ⌂▲⛽, volg D166 over brug
39	eind ← D143 ri Donnat
41	Donnat 🏠 → D166 ri Carme
43	Carme (steile klim) vw → D6, na 200 m ← D166 ri Sabran (klim)
45,5	← ri Sabran
46,0	*Sabran, volg D166
48	eind ←
50,5	Mégiers, volg D166 ri Cavillargues
53,5	Cavillargues ⌂🛢 eind ←, direct → vw D9, na 200m ← D166 ri Pougnadoresse
57,5	steile klim 1 km
58,5	vlak na Pougnadoresse ← D166
60	→ D5 ri Uzès
64	Vallabrix

Pont St.Esprit: Pont St. Esprit ligt net onder het punt waar de Ardèche zich, soms met donderend geraas, in de Rhône stort en dankt zijn naam aan de beroemde, 1 kilometer lange, brug uit het einde van de 13e eeuw. 19 van de 25 bogen zijn nog in de oorspronkelijke staat. Het mooiste uitzicht op de brug biedt het "Terrasse" aan de place St. Pierre, dat op zich zelf al de moeite waard is met een kerk uit de 15e eeuw, de barokgevel van de Chapelle des Pénitents en de 17e-eeuwse St. Pierre. De naam rue St. Jacques, met mooie oude huizen, geeft aan dat de zuid-oostelijke pelgrimsroute naar Santiago de Compostela, de "Via Tolosana", Pont St. Esprit als oversteekplaats over de Rhône kan hebben gebruikt i.p.v. Arles of Avignon.

Chartreuse-de-Valbonne: Het in 1203 gestichte Kartuizer-klooster ligt even van de weg, diep verscholen in een dicht bos. Hoewel er tegenwoordig een medisch instituut is gevestigd, is het opengesteld voor publiek. Het interieur van de barokkerk is de moeite waard om even op adem te komen van de laatste klim.

La Roque-sur-Cèze: Vanaf de weg heeft men een prachtig uitzicht op La Roque sur Cèze met een romaans kapelletje. Stap even af op de oude brug over de Cèze met zijn mooie bogen en spitse stroombrekers. Vlak voor de brug loopt links een weggetje naar de Cascade du Sautadet. De rivier heeft zich hier in de kalklaag een weg gebaand, wat een grillig stelsel van watervalletjes heeft veroorzaakt.

Sabran: Mooi uitzicht vanaf de ruïnes van het kasteel.

St. Quentin-la-Poterie: St. Quentin-la-Poterie – de naam geeft het aan – is een belangrijk aardewerkcentrum geweest. De geglazuurde tegels in het Palais des Papes in Avignon komen hier vandaan. De laatste jaren is het dorpje letterlijk nieuw leven ingeblazen door de vele glasblazers en pottenbakkers, die zich hier hebben gevestigd. Ze vertonen hun kunsten op de drukke jaarmarkt rond 14 juli.

Uzès: Uzès is de eerste grote plaats op deze alternatieve route, zeker een rustdag waard. Het beschermde centrum is mooi gerestaureerd en bevat talloze religieuze en burgerlijke bouwwerken. Het hertogelijk paleis (de Duché) mag niet onvermeld blijven. De gebouwen dateren uit verschillende periodes en geven een goed overzicht van het machtige Huis van Uzès, dat teruggaat tot de tijd van Karel de Grote.

Tijdens de reformatie werd Uzès een belangrijk protestants centrum en heeft hierdoor veel te lijden gehad van de godsdienstoorlogen.

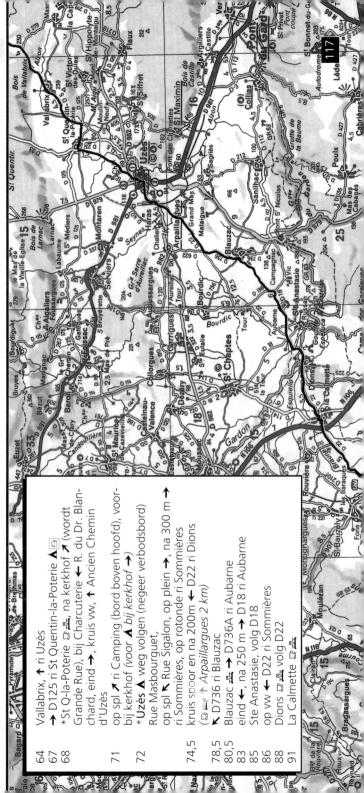

64	Vallabrix, ↑ ri Uzès
67	→ D125 ri St Quentin-la-Poterie ▲ 🏕
68	*St Q-la-Poterie 🏕, na kerkhof ↗ (wordt Grande Rue), bij Charcuterie ← R. du Dr. Blanchard, eind →, kruis vw, ↑ Ancien Chemin d'Uzès
71	op spl ↗ ri Camping (bord boven hoofd), voorbij kerkhof (voor ▲ bij kerkhof →)
72	*Uzès ▲ weg volgen (negeer verbodsbord) Rue Masbourguet, op spl ↖ Rue Sigalon, op plein →, na 300 m → ri Sommières, op rotonde ri Sommières
74,5	kruis spoor en na 200m ← D22 ri Dions (🏕 ↑ Arpaillargues 2 km)
78,5	↖ D736 ri Blauzac
80,5	Blauzac 🏕 → D736A ri Aubarne
83	eind ↓, na 250 m → D18 ri Aubarne
85	Ste Anastasie, volg D18
86	op vw → D22 ri Sommières
88	Dions 🏕 volg D22
91	La Calmette 🏕

De huidige, milde, rivaliteit tussen het naar Franse begrippen aanzienlijk aantal protestanten en de katholieken geeft aan dat de geschiedenis nog niet is vergeten. Voor de overige bezienswaardigheden verwijzen we naar het Syndicat d' Initiative en de bekende reisgidsen. Vermeldenswaardig zijn nog de "Nuits musicales d'Uzès" die hier 's-zomers worden gehouden.

Pont du Gard: De Pont du Gard ligt niet op de route maar is zeker een omweg waard. Op 13 km van Uzès (D981, richting Remoulins) ligt deze brug, onderdeel van het 50 km lange Romeinse aquaduct dat Nîmes voorzag van bronwater uit de omgeving van Uzès. Het aquaduct is gebouwd tussen 40 en 60 na Christus, tijdens het bewind van keizer Claudius. De brug bestaat uit los op elkaar gestapelde steenblokken. Het uit drie verdiepingen bestaande bouwwerk is zo vernuftig geconstrueerd dat het loop der eeuwen ongeschonden heeft kunnen doorstaan. Langs de oever van de Glandon heeft men verschillende goede uitzichtpunten op de brug.

Nîmes: Tussen Uzès en St. Martin de Londres loopt de route ten noorden van Nîmes langs, door de 'Garrigues', een uitgestrekt onvruchtbaar kalkplateau, bezaaid met rotsblokken en kleine stukjes grond met grazende schapen. Het is een gebied met een speciale schoonheid voor wie er oog voor heeft. Cultuurminnaars komen hier niet erg aan hun trekken. Zij zullen de moeite van een omweg moeten nemen naar Nîmes, bijvoorbeeld vanuit Blauzac via de mooie D979 of vanuit Ste. Anastasie over de rustige D418 (ongeveer 20 km). Vóór de Romeinse tijd was Nîmes al de hoofd-stad van het Keltische volk Volcae Arecomici. Ze dankt haar bestaan aan de bronnen op de Mont Cavalier. De Romeinen bouwden hier een theater, tempels en thermen. De Tour de Magne uit de 1e eeuw voor Christus is nog overgebleven van de 7 km lange stadsmuur. Bij de aanleg van de Jardin de la Fontaine (een van de mooiste tuinen van Europa) werden de ruïnes blootgelegd, o.a. van de Tempel van Diane. Van hieruit heeft men een schitterend uitzicht over de omgeving. Het is niet verwonderlijk dat Nîmes ook wel het Rome van Frankrijk wordt genoemd. Veel Romeinse bouwwerken zijn nog te bewonderen. De bekendste zijn het zeer gave amfitheater (Les Arènes), het Maison Carrée (tempel), de Porte d'Auguste en het Castellum waar het al bij Pont du Gard genoemde aquaduct eindigde.

Pic St.Loup: Op de top van de klim heeft men een mooi uitzicht op de Pic St. Loup (658 m), een dominante puist in het dorre landschap van de Garrigues.

St.Martin-de-Londres: St.Martin-de-Londres heeft een vrijwel geheel intact gebleven romaanse kerk met een koepel en een prachtig voorportaal. Er zijn nog resten van de vroegere stadsmuur met twee torens.

Bij Pont-de-Crau zijn enkele campings.

Hier zie je rechts van de weg een Romeins aquaduct. Het is gedeeltelijk gesloopt ten behoeve van een verkeersrotonde. Aan de lelijke betonnen buis die er overheen loopt is te zien, dat het nog in gebruik is.

Dichtbij de campings zijn haltes van stadsbussen die je veilig en voordelig in het centrum van Arles brengen. Tienrittenkaarten te verkrijgen in het centrum bij halte 'Boulevard des Lices'.

Les Baux: voor wie nog tijd over heeft is een bezoek aan Les Baux (± 20 km van Arles) de moeite waard. Les Baux is een naakte rotsformatie van 900 meter lang en 200 breed. Naar deze rots is het bauxiet, grondstof voor aluminium, genoemd. Hier bovenop ligt het gelijknamige dorp met tal van bezienswaardigheden en ten westen daarvan de opgegraven resten van oude vestingwerken, de dode stad. Voor verdere bijzonderheden verwijzen wij naar de gidsjes die overal te krijgen zijn.

Arles, schitterend beeldhouwwerk.

Hoofdstuk 7
VERANTWOORDING

De **Fietskaart Informatie Stichting** (FIS) is een organisatie van vrijwilligers die bezig zijn routes te ontwikkelen in binnen- en buitenland. Deze routes worden eerst verkend en voorlopig vastgesteld. Daarna worden ze uitvoerig gecontroleerd en tenslotte - van kaartfragmenten en beschrijving van bezienswaardigheden voorzien - uitgegeven in handzame boekjes.

De FIS stelt hoge eisen aan de kwaliteit van haar uitgaven: niets is voor een trekker op de fiets vervelender dan door fouten 'het bos in' gestuurd te worden. Er gelden echter nog andere kwaliteitseisen: een route moet bij voorkeur een thema hebben en ook een duidelijk begin- en eindpunt.

Door het ontbreken van dagetappes is men vrij om zelf te kiezen hoeveel kilometers per dag af te leggen, hoeveel tijd men wil 'verliezen' in zo'n pittoresk straatje, zo'n mooi oud kerkje of in zo'n landelijk restaurant of gewoon met een middag luieren op een camping. Dit maakt zo'n route aantrekkelijk: men laat immers de auto thuis om van dat gejakker af te zijn! Niemand kan er bezwaar tegen hebben als een warme dag wordt doorgebracht aan en in het water van een riviertje of op een gezellige camping in plaats van op de fiets. Vaak is veel te winnen door tijd te verliezen!

Oproep: De samenstellers hopen dat u als fietser genoten heeft van deze route. Het maken van een routegids voor de lange afstand in het buitenland vergt veel tijd en werk. Na het verschijnen van deze uitgave kunnen soms wijzigingen optreden in de beschreven route door veranderde verkeerssituaties, door gewijzigde kruispunten, wegenaanleg of -reconstructie en stadsuitbreidingen. Helaas wordt bij dit soort werkzaamheden vaak weinig of geen rekening gehouden met fietsers. Soms is het voldoende om in zo'n geval de beschrijving iets te wijzigen, maar soms blijkt het ook nodig de route te verleggen naar een andere, meer geschikte weg.

U begrijpt, dat de samenstellers uw hulp nodig hebben om de route zo actueel mogelijk te houden: het is voor hen moeilijk vóór iedere herdruk zelf opnieuw de hele route te fietsen en te controleren. Daarom: als u suggesties hebt voor wijzigingen of aanvullingen of veranderde situaties tegenkomt, laat ons dat dan weten. U kunt ons schrijven van Nederland uit of, heet van de naald, uit het buitenland. Ons adres is:

Fietskaart Informatie Stichting
Postbus 13002
NL-3507 LA Utrecht
Nederland

Op Internet heeft de Fietskaart Informatie Stichting de site . Naast andere informatie vindt men hier een samenvatting van wijzigingen die zich in de loop der tijd op de route zullen voordoen.

Dank

De Fietskaart Informatie Stichting dankt hen die een bijdrage hebben geleverd aan het tot stand komen van deze 2e druk, vooral (in alfabetische volgorde) Wouter en Robertien Bazen, Jan Blankespoor, Douwe en Linghan Bonnema-Runia, Fokko Bos, Lidwien Camps, Jan van Dongen, Monica Elsinga, Henk Gerats, Hans Griffioen, Wim en Annie de Groot, Roland Haffmans, Willie Halleen, Fred Hermsen, Adri van Kan, Ben van Kan, Hajo Kraamer, Annemiek Leydekkers, Joop van Opijnen, Peter van Rossum, Luciënne en Will Schuring, Fam. Sinnige, Clemens Sweerman, Wijnand Tromp, GertJan van der Tweel, Evelien van der Veen, Peter Verhaak, Boudewijn en Tini van der Vlist, Rob de Wayer, Klaas Wijnsma, Mark Zijlstra.

Andere routes

de Fietskaart Informatie Stichting bevordert het gebruik van de fiets voor meerdaagse tochten, met name door goede fietsroutes in het buitenland. De stichting helpt bij het ontwerpen en maken van fietsroutes, zoals bijvoorbeeld deze gids.

Andere routegidsen door de Fietskaart Informatie Stichting uitgegeven zijn:

St. JACOBS FIETSROUTE: langs pelgrimswegen naar Santiago de Compostela, door Clemens Sweerman
Deel 1: Haarlem - Tours
Deel 2: Tours - Pyreneeën
Deel 3: Pyreneeën - Santiago de Compostela
(Afzonderlijk verkrijgbaar).
(Deel 1 en 2 zijn te doen voor doorsnee-fietsers, deel 3 voor de beter geoefenden).

FIETSROUTE LANGS OUDE WEGEN, van Aken/Maastricht naar Oloron-Ste.Marie door Aart van Rossum en Clemens Sweerman (1993). Deel 3 van de St.Jacobs Fietsroute sluit hier op aan.

JUTLAND FIETSROUTE: langs oude Vikingwegen van Emmen (Drenthe) naar Skagen in Noord-Denemarken Clemens Sweerman (2e druk dec. 1999) *(ook geschikt om met kinderen te fietsen)*

LIMES FIETSROUTE: langs de noordgrens van het Romeinse rijk door Clemens Sweerman. Deel 1: Katwijk – Regensburg (Passau) (1998)

Donateur worden

De inspanningen van vrijwilligers en de bijdragen van donateurs zorgen ervoor dat de FIS toeristische fietsers goede informatie kan bieden. U bent van harte welkom als u als vrijwilliger wilt meewerken aan één van de bestaande of nieuwe activiteiten.
U kunt de stichting ook financieel steunen door donateur te worden. Dit doet u door ƒ 25 (meer mag natuurlijk ook) over te maken op giro 4291057 van de FIS te Utrecht.
Donateurs ontvangen gratis het blad FIETSPLAN dat tweemaal per jaar verschijnt met veel fietsverhalen en andere waardevolle informatie voor de toeristische fietser.
Zie het aanmeldingsformulier achter in deze gids.

MICHELIN ®

Professionele kwaliteit voor dagelijks gebruik

Gewoon

elke dag

hard

ertegenaan!

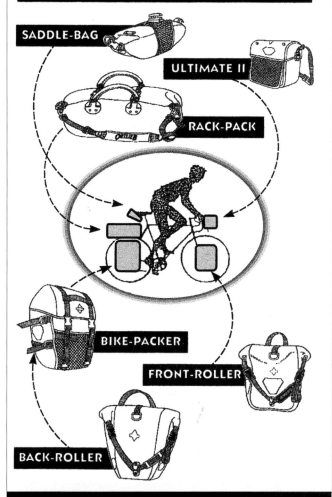

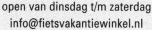

luxembourg
city tourist office

Place d'Armes
B.P. 181 · L-2011 Luxembourg

☏ (352) 22 28 09   📠 (352) 46 70 70

e-mail: touristinfo@luxembourg-city.lu
internet: www.luxembourg-city.lu/touristinfo/

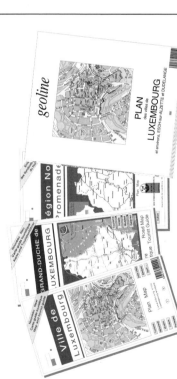

geoline

Map and touristic guides
of Luxembourg City and Country

Personalised maps
for companies, administrations, …

(352) 35.64.76
(352) 35.64.78
e.mail: mdi@pt.lu

MDI sarl
plans geoline

De **Fietskaart Informatie Stichting** maakt handzame routegidsen voor fietstochten langs mooie, rustige wegen binnen Europa.

Naast uitgebreide routekaartjes bevatten deze boekjes een gedetailleerde routebeschrijving met veel praktische en toeristische informatie. De routes zijn met zorg samengesteld uit zoveel mogelijk autoluwe wegen en worden regelmatig gecontroleerd en herzien, mede aan de hand van reacties van gebruikers.

Het werk van de Stichting wordt gedaan door een enthousiaste groep vrijwilligers die haar werk kan doen dankzij de financiële steun van donateurs.

Donateurs ontvangen 2x per jaar het blad 'Fietsplan' met informatie over de activiteiten de Stichting en ervaringen van fietsvakantiegangers.

Iets voor u?

○ Ja, ik word donateur van de Fietskaart Informatie Stichting voor minimaal *f* 25,00 per jaar en wacht uw accept-girokaart af.

○ Ik zou wel meer willen betekenen voor de FIS en wil meer informatie over vrijwilligerswerk (zoals bestuur, proeffietsen, PR-aktiviteiten, Blad Fietsplan)

Mevr. / Dhr.: _ _ _ _ _ _ _ _ _ _ _ _ _ _ _

Voorletters: _ _ _ _ _ _ _ _ _ _ _ _ _ _ _

Straat en huisnummer: _ _ _ _ _ _ _ _ _ _

Postcode: _ _ _ _ _ _ _ _ _ _ _ _ _ _ _

Woonplaats: _ _ _ _ _ _ _ _ _ _ _ _ _ _ _

Telefoon / Fax: _ _ _ _ _ _ _ _ _ _ _ _ _

Datum: _ _ _ _ _ _ _ _ _ _ Handtekening:

(meer informatie: 033-4941680)

Fietskaart Informatie Stichting

Postbus 13002

3507 LA Utrecht

Fietskaart Informatie Stichting

(meer informatie: 033-4941680)